LE DIVORCÉ
OU LA NAISSANCE D'UN COMÉDIEN

LES ÉDITIONS QUEBECOR
Une division du Groupe Quebecor Inc.
225, rue Roy est
Montréal, H2W 2N6
Tél.: (514) 282-9600

Distributeur exclusif
AGENCE DE DISTRIBUTION POPULAIRE INC.
955, rue Amherst
Montréal, H2L 3K4
Tél.: (514) 523-1182

Marc André Poissant

LE DIVORCÉ

OU LA NAISSANCE D'UN COMÉDIEN

Roman

EDITIONS

Québecor

«Pierre, le passé n'est jamais grave, il n'a pas d'importance auprès de l'avenir. Parce que, dans notre passé, il n'y a jamais notre mort; dans notre avenir, elle y est toujours. Je t'aime.»

Marcel Pagnol, *La Prière aux étoiles.*

Pour   Pierre A. Chapuis
Pierre E. Trudeau

À Diane Allard.

Mode d'emploi

Lire à toute heure, lorsque vous êtes seul, infiniment, en écoutant les *Quatre Saisons* de Vivaldi, au début, l'hiver surtout, et à la fin, le printemps, peut-être... Car c'est ainsi qu'il fut écrit.

I

1

Je m'appelle Pierre Chagnon, et j'ai trente-deux ans. Je travaille depuis sept ans dans une agence de publicité. J'y occupe un poste de directeur. Un poste qui, je dois l'avouer, n'occupe pas une place très grande dans ma vie. Il me permet de la gagner, comme on dit, mais sans plus. Ce n'est pourtant pas parce que je suis paresseux; du moins, j'ai la prétention de le croire. En fait, je travaille depuis l'âge de dix-neuf ans. Et j'ai précisément abandonné mes études parce qu'avait germé dans mon esprit l'idée de travailler.

Je suis fils unique. Et j'ai été très jeune orphelin de mère. Elle mourut en effet accidentellement alors que j'avais douze ans, au cours d'un voyage dans le Vermont, d'où elle était originaire et où, d'ailleurs, mon père l'avait rencontrée.

Mon père avait fait fortune dans les souliers. Il eût souhaité que je suive ses traces. Mais le coeur ne me le disait pas et, au lieu d'emboîter le pas, je devins journaliste, par je ne sais quel hasard de la vie car ce n'était pas initialement une vocation et ce ne devint jamais une passion. Ce devint même une source d'aversion vers la fin, ce qui est caractéristique de ma nature car il me semble avoir toujours eu plus de dégoûts que de goûts. Comme l'école, le journalisme mène à tout, pourvu qu'on en sorte. Pour ma part, mes années au *Devoir* — c'est là, en effet, que je passai six années, six très longues années — furent, il me semble, un chemin qui ne mena nulle part. Car mon emploi à l'agence de publicité ne m'a jamais semblé une «situation», malgré un traitement très avantageux. D'ailleurs, j'avais souvent l'impression de vivre dans des sortes de limbes. C'était comme si, chaque matin, en entrant à l'agence, j'étais frappé d'inexistence. Il faut dire que j'y avais un statut particulier, pas officiellement, évidemment, mais tacitement. J'étais taciturne, sans jeu de mots. Et j'étais timide. Et je crois que, comme cela arrive souvent, ma timidité intimidait mes collègues. Peut-être était-elle tout simplement perçue comme une volonté de solitude, ou une manifestation outrancière d'individualisme. Comme du mépris? Je ne sais guère. Et, à vrai dire, je n'y ai jamais attaché suffisamment d'importance pour chercher à le savoir. En tout cas, je ne me souviens pas avoir cherché délibérément à me distinguer de mes collègues. Une chose, pourtant, me distinguait d'eux, de manière décisive: je ne suis jamais arrivé à tirer du plaisir ni même à trouver de l'intérêt à vanter les mérites d'une bière, les vertus merveilleuses d'un savon à vaisselle ou la grande classe d'une automobile. Il faut avouer que je n'ai en aucun temps fait d'effort dans ce sens. Et il me faut ajouter que j'éprouvai rarement de l'enthousiasme à commettre des articles de journaux ou, plus jeune, des travaux scolaires. Même enfant, j'étais affligé de ce trait de caractère. Je trouvais systématiquement inintéressants les jeux que l'on réservait à mon âge. Il me semblait que les seuls jeux qui auraient pu me plaire n'existaient pas, ou tout au moins m'étaient inconnus, si bien qu'il m'aurait fallu les inventer. Présomption

16

de ma part? Ce n'était peut-être au fond que la seule manière de justifier mon ennui continuel.

Malgré cette absence constante d'intérêt pour mon travail, je puis dire, sans me vanter, que j'y réussissais, ce dont j'étais le premier à m'étonner. J'y réussissais cependant de moins en moins bien, depuis un an en fait. C'est-à-dire, très exactement, depuis que ma femme, Laurence Davreux — qui, à pur titre d'information, a vingt-six ans —, m'a quitté et que je cherche désespérément à la revoir. Je puis vous dire, même, que cela a pris depuis quelque temps des proportions démesurées. C'est devenu une véritable idée fixe. Car imaginez-vous qu'il y a maintenant trois semaines que j'attends un téléphone de ma femme qui m'avait promis de me rappeler. D'ailleurs, je crois que je vais prendre la chance de lui téléphoner moi-même, immédiatement. C'est risqué, me dites-vous, parce qu'il est toujours préférable d'être indépendant avec les femmes? Sans doute, mais je me demande de plus en plus si ma femme ne s'accommode pas très bien de cette indépendance et si je ne me trouverai pas pris à mon propre jeu. Car aujourd'hui, il s'est passé quelque chose. Quelque chose de très anodin, me direz-vous, mais qui m'a troublé. Je ne suis pas superstitieux, enfin je n'ai pas l'impression de l'être, et pourtant, ce matin, en me levant, je me suis aperçu qu'une de mes plantes était morte, et j'ai ressenti un sentiment très étrange. Car cette plante, c'est Laurence qui me l'avait offerte, et j'y attachais une grande importance. Je n'ai pu m'empêcher de voir dans sa mort un signe. Un signe de mort. Et j'ai été envahi d'étranges réminiscences. Je revoyais douloureusement, comme au moment de notre séparation, plusieurs épisodes de notre vie commune. Vous comprenez, dès lors, mon inquiétude et ma hâte de donner à Laurence signe de vie. Je compose fébrilement le numéro si cher de

Laurence, je m'attarde un instant avant de tourner le dernier chiffre. Je vide d'un seul trait mon verre de cognac et j'attends. J'attends d'entendre cette chose si étrange, si unique, si indéfinissable: la voix de Laurence.

— Laurence? C'est moi.

— Oui, je sais.

— Excuse-moi de t'appeler. Je ne me rappelais plus trop si la dernière fois que nous nous sommes parlé, nous avions convenu que c'est moi qui devais te rappeler.

— C'est moi qui devais le faire. Excuse-moi. J'ai voulu souvent te téléphoner mais j'ai été très occupée. J'ai eu beaucoup de contretemps.

— Ah! je comprends. Ce n'est pas grave. Je ne te dérange pas, au moins?

— Non.

— Est-ce que ça va bien?

— Oui, pas mal. Et toi?

— Oui, ça va, enfin ça pourrait évidemment aller mieux. Mais dis-moi donc, toi, l'emploi dont tu m'as parlé la dernière fois…?

— Ah! ça n'a pas été…

— C'est dommage… Qu'est-ce que tu vas faire?

— Je vais continuer à chercher, tout simplement. Je n'ai pas le choix.

— Oui, évidemment. Ce n'est pas facile, hein?

— Non, en effet.

— Justement, je t'appelais pour ça. Au bureau, il y a une employée qui doit nous quitter sous peu. Elle est enceinte. Je crois qu'elle n'est pas traductrice, mais elle travaille dans le département qui s'occupe de ça. On reçoit toute la publicité anglaise de notre bureau de Toronto. Et on s'en inspire parfois.

— Ah oui ! je vois.

— Tu pourrais faire application, je pense qu'avec tes qualifications et aussi, évidemment, avec un petit mot de ma part, tu pourrais facilement obtenir le poste. Ce ne serait peut-être pas le salaire que tu avais précédemment, mais ça pourrait te dépanner provisoirement.

— Non, se contenta de dire Laurence, sur un ton sans équivoque.

— Tu ne crois pas que, provisoirement...

— Ce n'est pas ça, et tu le sais bien... c'est impossible.

— Qu'est-ce qui est impossible? Je te dis que tu aurais de très bonnes chances. Je suis en bons termes avec le directeur et, sans vouloir me vanter, je crois pouvoir dire que j'ai une certaine influence sur lui.

— Je n'en doute pas, mais ce n'est pas ça.

— Tu ne trouves pas le poste intéressant?

— Il l'est peut-être, mais ce ne serait pas viable comme situation.

— Pour quelle raison?

— Tu le sais, Pierre, voyons. Il vaut mieux que nous gardions nos distances, tu ne crois pas?

— Non. Pourquoi?

— Parce que.

— Parce que tu as peur?

— Peur de quoi? Je te le demande, dit Laurence qui paraissait piquée au vif.

— De tes sentiments.

— Peut-être, mais c'est normal. J'ai trop souffert à essayer de me détacher de toi, à t'oublier; maintenant, je ne veux plus prendre de chance, je veux être prudente. Je n'aurais plus la force. Et puis s'il y a des sentiments que je crains, ce sont surtout les tiens. Je ne veux pas retomber dans tes filets.

— Mes filets? Il me semble que je t'ai toujours laissée libre, pourtant.

— Oui, c'est vrai. Mais c'est parce que ce que je faisais ne t'a jamais intéressé.

— Pourquoi es-tu si dure, tout à coup?

— C'est toi qui me demandes ça, toi qui as toujours été dur avec moi, qui ne trouvais rien de mieux à faire, quand je pleurais, que des réflexions abstraites sur l'inutilité des larmes, au lieu de me serrer tout simplement dans tes bras. Tu étais si absent, si froid...

— Nous faisions l'amour régulièrement.

— En effet, une fois par semaine, le dimanche, entre midi et une heure, c'est très régulier.

— Tu caricatures.

— À peine. Et, de toute manière, je ne faisais pas allusion à cette froideur.

— Toi aussi, tu étais froide. Parfois, tu me repoussais.

— Oui, lorsque tu me demandais de faire l'amour après avoir passé une journée entière sans m'adresser la parole.

— J'étais préoccupé par mon travail. Et je ne vois pas pourquoi nous parlons de ça. Je te propose ce poste par amitié, tout simplement.

— C'est une amitié piégée, tu le sais bien, Pierre.

— Mais non, je t'assure.

— Je ne suis pas dupe, Pierre, c'est inutile d'insister. Parce que tout est clair dans mon esprit au sujet de notre séparation.

— Pas dans le mien, en tout cas, parce que nous n'en avons jamais parlé vraiment.

— Nous n'avons jamais vraiment parlé de rien.

20

— Je trouve, au contraire, que nous parlions beaucoup. Souviens-toi des longues conversations que nous avons eues.

— Oui, si c'est ainsi que tu appelles les leçons de dialectique que tu essayais de me donner, en me contredisant continuellement.

— Si je te contredisais, c'est parce que je t'estimais, parce que j'estimais ton intelligence. Et aussi parce que j'avais des convictions...

— Tu en avais une, surtout, celle d'avoir toujours raison.

— Non, je ne suis pas d'accord.

— Tu vois? Tu n'as pas changé, on ne peut jamais avoir raison contre toi. Et tes convictions, tu peux bien en parler, parce que moi, je n'ai jamais eu l'impression de les connaître vraiment. En tout cas, en cinq ans de mariage, je n'ai jamais eu l'impression de savoir ce que tu pensais vraiment. Tu parlais de la situation politique, de philosophie, de littérature, bien entendu. Mais de choses plus profondes, de notre relation, de tes sentiments à mon égard, tu n'en parlais jamais, tu gardais tout secret. Tu crois que c'est intéressant, pour une femme, de vivre ainsi dans l'incertitude continuelle? D'ailleurs, je ne vois pas pourquoi je parle d'incertitude, parce qu'au fond j'ai toujours eu une certitude, que j'ai longtemps essayé de me cacher, c'est que tu n'as jamais cru à notre couple.

— Au contraire, j'y ai toujours cru. Et aujourd'hui plus que jamais.

— Tu prétends y croire, aujourd'hui, parce que je t'ai quitté et que nous ne sommes plus ensemble. Mais tu n'y as jamais cru lorsque nous étions ensemble. Et tu m'as déjà dit que tu croyais que nous étions toujours seuls, de toute façon.

— Je ne sais pas si j'ai dit ça, mais j'y croyais, à notre couple. Et j'y crois encore.

— Tu ne me l'as pourtant jamais dit, à l'époque.

— C'était évident pour moi. Je ne croyais pas que c'était nécessaire de te le dire. Et puis j'étais absorbé... Tu sais que je n'ai jamais aimé mon travail. Je cherchais...

— Eh bien, c'est triste à dire, mais, pendant que tu cherchais ainsi, tu me perdais, moi. Parce que je ne sentais plus que tu étais avec moi. Au fond, j'ai toujours senti que notre couple était à sens unique.

— Tu as tort. Je t'aimais.

— Je ne le sentais pas.

— J'ai eu mes torts, je le sais... Mais dis-moi... Je trouve ça difficile d'avoir une conversation au téléphone... Est-ce qu'on peut se voir?

— Se voir?

— Oui, se rencontrer.

— Quand?

— Ce soir.

— Ce soir, c'est impossible. J'avais quelque chose...

— Un rendez-vous?

— Non... Je voulais réviser mon curriculum vitae. J'ai une entrevue demain.

— Ah! je vois. Mais on pourrait se voir seulement une heure ou deux. Comme ça, tu pourrais terminer ton curriculum plus tard.

— Bon, d'accord. Mais pas longtemps. Et j'aime autant te prévenir d'avance, si c'est pour me parler de réconciliation, c'est inutile. Je refuse de te voir.

— Ce n'est pas pour ça... C'est pour te demander un conseil au sujet de mon travail... J'ai fait des calculs, je voudrais te les montrer, je pense démissionner...

— Es-tu sérieux?

— Oui.

Et Laurence fit alors la réflexion suivante:

— C'est curieux, le monde est mal fait; tu as des problèmes parce que tu veux quitter un emploi, moi parce que je veux en trouver un. Mais qu'est-ce que tu voudrais faire à la place, retourner au journalisme?

— Je ne sais pas, c'est précisément de cela que je voulais discuter.

— Et as-tu pensé à un endroit pour le rendez-vous?

— Oui, justement, le *Marchand de lunes.*

C'était le restaurant de nos débuts, «notre» restaurant en quelque sorte, où, en une espèce de rituel, nous étions allés, chaque année, le jour de l'anniversaire de notre mariage.

— Non, n'importe où, mais pas là, jeta péremptoirement Laurence.

— Pourquoi?

— Parce que c'est malhonnête.

— Malhonnête?

— Oui, c'est inutile d'essayer de jouer la carte des sentiments, ça ne servira à rien.

— Je ne t'amène pas là pour jouer la carte des sentiments. Tu as peur?

— Non, ce n'est pas la question, je te l'ai déjà dit. Et puis, pour te prouver que tu as tort, et aussi pour te prouver que ta petite mise en scène est inutile, parce que j'ai l'impression que c'est une mise en scène que tu as préparée d'avance, c'est d'accord, je vais y aller. À quelle heure seras-tu là?

— À huit heures, disons.

— Bon, c'est d'accord, à plus tard.

Et, sur ce, elle raccrocha. Elle avait fait preuve d'une telle détermination que mes espoirs faiblirent. La partie était loin d'être gagnée. Même qu'elle paraissait perdue

23

d'avance. J'étais énervé, cependant, prodigieusement. Ce rendez-vous, il me semblait que je l'attendais depuis une éternité. Car trois mois séparé de la femme qu'on aime, qu'on aime infiniment, eh bien, c'est infiniment long. Et, à un moment donné, l'infini, même si on y rajoute des jours, des mois, ça ne pèse pas lourd dans sa balance, ça ne reste que des poussières. L'infini plus trois mois, vous êtes-vous déjà demandé ce que ça donnait? Les absents ont toujours tort, dit le proverbe. Lorsqu'on est absent depuis trois mois, si vous saviez ce qu'on a l'impression d'avoir tort. On se sent presque criminel... C'est son amour qu'on assassine...

En tout cas, l'heure qui me séparait de mon rendez-vous avec Laurence me parut infiniment longue. Je ne tenais plus en place. Dans mon impatience, je partis une bonne demi-heure à l'avance. J'avais l'intention de prendre beaucoup de détours, le chemin le plus long, en d'autres mots, pour ne pas arriver trop tôt et, en même temps, pour justifier — c'est une façon de parler — un départ aussi hâtif. C'est que j'avais l'impression, illusoire sans doute mais qui me procurait un sentiment fort agréable, que mon rendez-vous était déjà commencé puisque j'étais parti pour m'y rendre. J'arrivai le premier, ce qui était prévisible. Bernard, le maître d'hôtel, qui nous connaissait depuis le début, Laurence et moi, m'accueillit avec un plaisir très vif. C'est du moins ce qui me sembla.

— Ça fait plaisir de vous voir, me dit-il en me serrant la main énergiquement. Ça fait longtemps qu'on ne vous a pas vu.

— Oui, en effet.

— Mais Madame n'est pas avec vous?

— Non, selon toute apparence.

— Elle n'est pas souffrante, au moins?

24

— Non, je suppose.

— Vous supposez?

— Oui, je suppose, je fais des suppositions. Ça vous déplaît?

— Pas du tout, Monsieur, je disais ça comme ça. Est-ce que Monsieur va manger seul?

— Non, avec Madame.

— Ah! vous me rassurez, j'avais cru, un instant… Vous savez, les couples, aujourd'hui… Moi, je suis marié depuis trente-deux ans à la même femme, et ma fille, qui a à peine trente ans, a déjà été mariée trois fois…

— Oui, je sais.

— Vous la connaissez?

— Non, mais vous m'en avez déjà parlé.

— Oh! je m'excuse.

— Ce n'est pas grave.

— La table que vous prenez habituellement est déjà réservée, mais, si vous voulez, je pourrais la libérer.

— Ce serait aimable à vous.

— Même si ce n'est pas votre anniversaire…

— Ça l'est, au contraire…

— Mais ce n'était pas il y a trois mois?

— Nous avons changé la date.

— Ah! je comprends…

Et, sur ce, il me conduisit à ma table. J'y attendis près d'une heure, à la fois impatient et inquiet. De quoi Laurence aurait-elle l'air? Aurait-elle changé? Et puis de quelle humeur serait-elle? Serait-elle aussi cassante, aussi inflexible en personne qu'au téléphone? Et moi, comment me trouverait-elle? Saurais-je lui plaire? Allais-je trouver les mots? Et d'ailleurs, quelle conversation allions-nous avoir? N'avais-je pas promis à Laurence de ne pas lui parler de réconciliation?

Elle arriva enfin. Et je dois avouer que, malgré ma préparation, je ne m'attendais pas à l'émotion que j'éprouvai à sa vue. Elle me parut si belle mais en même temps si différente, non pas évidemment qu'elle ne fût pas belle auparavant, mais tout simplement parce que, tristement, elle me paraissait maintenant une étrangère. Est-ce parce qu'elle vivait une vie différente, une vie nouvelle, qu'elle me paraissait à ce point métamorphosée? Elle ne m'aperçut pas tout de suite en entrant, et, le maître d'hôtel étant occupé ailleurs, elle s'attarda quelques instants à l'entrée du restaurant, parcourut la salle du regard. Je ne l'appelai pas tout de suite. Mon trouble était trop grand. Je l'admirais. Elle avait noué ses cheveux en un chignon romantique, qui donnait à ses traits une douceur très grande et mettait en évidence ses yeux déjà remarquables, verts comme... Je ne sais trop, parce qu'ils me paraissaient uniques, à moi... Et comment voulez-vous comparer une chose qui est unique? Elle était vêtue comme la lune: sa robe me fit rêver. Une robe mauve, très sombre.

À la réflexion, je crus m'apercevoir que sa beauté n'était pas si étrangère. Elle avait plutôt cette beauté inquiète et indépendante, froide, presque hautaine, des premiers temps, à nos débuts. Ne devais-je pas m'en inquiéter, d'ailleurs?

Elle paraissait impatiente, en outre. Impatientée, peut-être? Regrettait-elle déjà d'avoir accepté ce rendez-vous?

Elle m'aperçut enfin. Elle me sourit, d'une manière qui me parut curieuse. Elle semblait heureuse de me voir, mais un peu triste. Ne devais-je pas déjà me rendre à l'évidence? Quelle évidence, me direz-vous? Eh bien, tout simplement celle que Laurence, contrairement à ce que je m'obstinais à croire, n'était plus ma femme, ou, si vous préférez — mais moi pas, je vous le dis d'avance —, ne m'aimait plus.

Lorsqu'elle arriva à la table, je me levai pour l'accueillir, et, comme je venais pour l'embrasser, elle se détourna, si bien que je ne pus que baiser sa joue droite. Je m'attardai cependant longuement sur cette joue, par émotion. Son geste cependant augurait mal.

— Tu as l'air bien, me dit Laurence en souriant, légèrement embarrassée.

Et, se dégageant de mon étreinte, elle s'assit.

— C'est gentil de me dire ça. Mais j'en ai juste l'air.

— Tu as l'air vraiment bien, je te le dis. Un jeune célibataire...

— Et de quoi ça a l'air, un jeune célibataire?

— Sympathique.

— Tu es gentille. Toi aussi, tu as l'air bien. Je me demandais si j'allais te reconnaître... Ça fait si longtemps...

— Trois mois...

— Oui, trois mois. Mais tu n'as pas changé... Toujours tes yeux...

— Je te remercie. Mais je vois que tu as pensé à tout...

— Qu'est-ce que tu veux dire?

— La table...

— C'est le maître d'hôtel qui l'a choisie.

— Ça m'a plutôt l'air d'une mise en scène...De fort mauvais goût...

— Veux-tu qu'on change?

— Non, c'est inutile, au fond. D'ailleurs, voilà Bernard qui arrive.

— Bonjour, Madame Chagnon, dit le maître d'hôtel qui arrivait avec deux verres. Vous êtes toujours aussi belle...

— Vous êtes bien aimable, Monsieur Bernard.

— Comme c'est votre anniversaire, je vous offre votre apéritif préféré, du Pineau des Charentes très frais, dit-il en déposant les verres.

À ces mots, Laurence me toisa, et, un instant, je craignis qu'elle ne fît un éclat, une brutale rectification. Mais elle n'en fit rien.

— Buvez à ma santé, dit Bernard. Je vous souhaite encore de nombreuses années de bonheur.

— Nous vous remercions, lui dit Laurence, non sans que ne perçât dans ces mots une pointe de l'irritation qu'elle paraissait avoir contenue.

— Et qu'est-ce que vous nous recommandez, Bernard? dis-je.

— Il y a la sole de Douvres, qui est exquise.

— Ça te le dit, Laurence?

— Oui.

— Bon, c'est parfait. Deux soles. Et du vin blanc.

— Un potage?

— Non merci.

— C'est parfait, dit Bernard, qui avait repris les menus et allait se retirer.

— Vous ne prenez pas en note notre commande? lui dis-je. Vous aviez l'habitude, pourtant, avant, avec votre petit calepin toujours à la portée de la main, parce que vous disiez, il me semble, que votre mémoire vous jouait trop souvent de mauvais tours.

— Oui, justement, dit le maître d'hôtel avec une satisfaction visible. Je vois que Monsieur est observateur. C'est que j'ai suivi des cours par correspondance pour améliorer la mémoire, et cela a eu des résultats extraordinaires.

— Je vous félicite, Bernard.

Ce dernier vint pour se retirer, mais se ravisa soudain pour nous dire:

— Est-ce que je peux me permettre une observation très personnelle?

Je le considérai, non sans un certain étonnement empreint de perplexité.

— Oui, vous pouvez toujours, dis-je en essayant de contenir mon agacement.

— Eh bien, c'est extraordinaire, ça fait des années que vous venez ici, et Monsieur a l'air si attentionné, et Madame si... comment dire?... si heureuse de se trouver là, tout simplement, à ce charmant petit tête-à-tête, qu'on ne dirait jamais que vous êtes mariés depuis six ans, on dirait plutôt que vous en êtes à votre premier rendez-vous... À moins que...

— À moins que quoi? demandai-je.

— À moins que Madame ne vienne de vous annoncer une nouvelle... une nouvelle extraordinaire que vous attendiez depuis longtemps. Un enfant, peut-être, si ce n'est pas indiscret?

— Est-ce que vous trouvez que ma femme a engraissé? demandai-je avec une certaine brutalité.

— Non, pas du tout, ce n'est pas ça que j'ai voulu dire. Même que Madame a conservé sa taille de jeune fille.

— Ah bon! je préfère, dis-je.

Là-dessus, le maître d'hôtel se retira. Et, contre toute attente, Laurence se leva brusquement pour déclarer, d'une voix péremptoire:

— Je m'en vais, je ne peux pas rester, c'est insupportable, ce malentendu.

— Mets-toi à ma place. Qu'est-ce que tu voulais que je lui dise? Rassieds-toi, je t'en prie.

— Non, je refuse. D'ailleurs, j'aurais dû m'en tenir à mon idée première. Qu'est-ce que nous faisons dans ce restaurant qui n'a plus aucun sens pour nous deux, pour moi en tout cas? C'est trop absurde, ce maître d'hôtel qui croit que nous célébrons notre anniversaire de mariage...

— Ce n'est qu'un figurant, sans importance.

— Oui, exactement comme je l'ai été dans notre mariage.

— C'est faux, tu as toujours été la personne la plus importante de ma vie.

— La personne la plus importante, peut-être, mais après toi.

— Laurence, reste, je te le demande.

Elle me considéra un instant, hésitante, puis elle posa sa main sur ma joue et la laissa s'y attarder:

— C'est d'accord, dit-elle enfin.

Le maître d'hôtel revint bientôt et dit, avec un sourire d'une grande satisfaction:

— Voici le potage.

— Mais nous ne vous en avons pas demandé, dis-je.

— Ah! j'avais l'impression, dit le maître d'hôtel, visiblement intrigué. Pourtant, avec la méthode, je croyais mon problème résolu. C'est la première faille.

— Vous devriez vous méfier de ces méthodes, qui sont surtout efficaces pour enrichir leurs promoteurs. D'ailleurs, si vous voulez, je vais vous faire faire un petit test. Par exemple, je vous demande, à brûle-pourpoint, et répondez-moi le plus vite possible, sans réfléchir: nos entrecôtes, comment nous les avons-vous demandées?

— Comment vous me les avez demandées? demanda le maître d'hôtel, sidéré.

— Oui, je ne vous demande pas si nous vous les avons demandées poliment ou pas. Je vous demande si nous vous les avons demandées saignantes ou bien cuites.

— Mais je... Je n'en sais rien...

— Vous voyez bien que votre méthode...

— C'est que je croyais que vous m'aviez demandé de la sole de Douvres...

— Mais vous savez bien que c'est impossible! Vous savez fort bien que ma femme et moi y sommes allergiques et avons vomi celle que vous nous avez servie l'année dernière.

— Vous l'avez vomie?

— Mais oui, vous ne vous en souvenez pas? Même que, dans votre précipitation à nous venir en aide, vous avez renversé les chandelles, que la nappe a pris feu et que nous avons failli être brûlés vifs.

— C'est curieux, c'est vraiment curieux, je suis confus, mais je ne me rappelle plus rien. Je crois que je vais appeler à l'institut qui m'a vendu le cours et que je vais tenter de me faire rembourser.

— Si vous avez des problèmes, venez me voir. Comme je suis avocat, je vais vous régler ça par lettre, vous allez voir.

— Vous êtes avocat?

— Oui. D'ailleurs, je ne vous l'avais pas fait remarquer, mais je ne comprends pas pour quelle raison vous ne m'appelez plus Maître, comme dans le passé. Ce n'est pas pour moi, mais vous savez comme sont les gens.

— Excusez-moi, Maître, je suis confus, j'ai toujours eu l'impression que vous étiez journaliste.

— Oh! doucement, ne parlez pas si fort, il y a des gens autour qui pourraient nous entendre.

— Oh! je m'excuse, je... je ne pensais pas que cela aurait pu vous insulter. Car ce n'est tout de même pas un métier déshonorant, en tout cas lorsqu'il est pratiqué honnêtement. Notre Premier ministre actuel et le chef de l'opposition sont eux-mêmes journalistes.

— Justement! S'ils étaient avocats, ils ne seraient pas obligés de faire de la politique pour augmenter leur salaire de journalistes!

— Évidemment, si on se place de ce point de vue-là… Mais revenons à nos moutons.

— C'est du boeuf, du boeuf et non pas du mouton que nous vous avons commandé.

— Oui, oui, bien entendu, je disais ça dans un autre sens. En fait, nous ne servons que de l'agneau.

— Oui? Eh bien, vous me rassurez.

— Alors, vos entrecôtes…

— Saignantes. Vous n'oublierez pas, j'espère?

— Non, non, soyez sans crainte.

Il se retira alors, assez cérémonieusement, et assez intrigué.

— Tu es épouvantable, dit Laurence qui souriait, amusée. Tu vas le rendre fou.

— Peut-être bien. Mais ne parlons plus de lui, si tu veux. Parle-moi plutôt de toi. Est-ce que c'est comme tu l'avais imaginé?

— La vie n'est jamais comme on l'avait imaginée, tu le sais bien. Disons que c'est différent, puisque je suis seule. Je m'habitue peu à peu. Au début, c'était difficile. Il y a eu une adaptation…

— Et la famille?

— La famille va bien… Évidemment, tout le monde m'a reproché de te quitter… Surtout que, par pudeur, et aussi parce que j'estime que ma vie privée ne les regarde pas, je n'ai jamais voulu donner les raisons pour lesquelles j'étais partie… Ma mère cherche encore à me culpabiliser et en plus je ne sais pas si c'est volontaire ou non, on dirait qu'elle essaie de me faire peur. Elle me dit continuellement que c'est dur pour une femme seule de s'en sortir, qu'une femme séparée est mal vue dans la société… Et, à cet égard, elle n'a pas totalement tort, il y a beaucoup de préjugés encore. Mais je préfère ne pas en parler, si tu veux. Ça me met les nerfs en boule. Parlons de toi, plutôt. Ta vie, ça va? Tu ne voulais pas me parler de ton travail? Tu songes à démissionner?

— Oui, de plus en plus sérieusement.

— Tu ne penses pas que tu as peut-être tout simplement besoin de vacances?

— Je n'aurais pas le goût de partir seul.

— Ça te ferait du bien, pourtant. Ça te permettrait de réfléchir.

— Oui, peut-être, c'est une idée. Je pourrais aller au lac Sainte-Marie. Tu te rappelles nos dernières vacances là-bas?

— Oui, vaguement.

— Tu te souviens de ces perchaudes miniatures que tu attrapais quand nous allions à la pêche, à l'autre bout du lac?

— Oui, c'était la première fois que je pêchais.

— Tu avais un don pour les attraper, parce que ce n'est pas facile. Plus elles sont petites, plus cela prend de l'adresse.

— Ce devait être la chance... *The beginner's luck*, comme disent les Anglais.

— Oh non! c'est plus que ça. Est-ce que tu es allée à la pêche depuis?

— Non, jamais.

— C'est dommage, tu aurais dû.

— Oui, il y a bien des choses, dans la vie, qu'on devrait faire et qu'on ne fait jamais.

— Et il y en a d'autres qu'on ne devrait jamais faire.

— Mais les regrets sont inutiles.

— Et les souvenirs, eux?

— Les souvenirs?

— Oui, les souvenirs, comment fais-tu?

— Comment je fais quoi?

— Comment fais-tu pour les oublier, comment fais-tu pour oublier les cinq années de bonheur que fut notre mariage?

— Je ne réponds pas à cette question! dit catégoriquement Laurence. Nous avions convenu que tu ne me parlerais pas de ça.

— Tu as peur?

— Non, je n'ai pas peur, je te le dis. Et puis, si tu veux, parlons-en, de ces cinq années de bonheur. Au fond, je ne vois pas pourquoi je refuserais de t'en parler, parce que, si elles ont existé, ces années de bonheur, ce n'était certainement pas du tien. Du mien, peut-être, parce que oui, je l'avoue, je n'en ai pas honte, j'ai été heureuse. Je me levais le matin, tu étais à côté de moi, et j'avais le goût de chanter. Et lorsque je me couchais, le soir, je savais que j'allais bien dormir, parce que tu étais là. Mais toi... Toi, ne viens pas me dire que tu étais heureux. Parce que, dès le début, j'ai senti que j'étais un fardeau, que je n'avais pas de place à côté de toi et qu'à court terme, en restant là, je me condamnais, j'allais étouffer.

— Tu exagères!

— Non, je n'exagère pas. Te souviens-tu de ce que tu me répondais presque toujours lorsque je te demandais si tu étais heureux avec moi?

— Non, c'est-à-dire que...

— Eh bien, moi, je m'en souviens, je m'en souviens très bien. Tu ne répondais rien. Ou tu avais un haussement d'épaules indifférent, ou tu disais que c'était une question insoluble, philosophiquement. Philosophiquement... oui, toi puis tes maudits livres de philosophie. C'est avec elle que tu aurais dû te marier, la philosophie, ou avec une bibliothécaire. Penses-tu que c'est intéressant de passer sa vie à côté de quelqu'un qui ne veut jamais aller au cinéma quand il n'a pas fini son livre et qui attend toujours, avant de vous répondre, d'avoir terminé son paragraphe?

— Tu caricatures.

— À peine. Et puis, de toute façon, je ne vois pas pourquoi tu t'acharnes à vouloir sauver un mariage qui, au fond, n'a peut-être jamais eu lieu que dans ma tête, parce que nous n'avons jamais été vraiment ensemble, je le répète. Si ça n'avait pas été de moi, de mon insistance, nous ne nous serions jamais mariés et je ne sais même pas si nous aurions vécu ensemble. Surtout que tu as toujours été contre le mariage.

— Contre le mariage en général, pas contre le nôtre.

— Je ne vois pas la différence. Mais de toute façon, je te le dis, c'est un rêve que tu fais en ce moment, probablement, comme celui que j'ai fait pendant longtemps. Mais moi, vois-tu, j'ai compris avec le temps qu'il ne fallait jamais essayer de changer l'autre, qu'il ne fallait pas essayer non plus de changer la place qu'il nous accordait dans sa vie. Parce que tous les efforts qu'on fait ne servent jamais à rien. Ce n'est pas l'autre qu'il faut essayer de changer, ce sont nos propres rêves. Et quand on s'aperçoit que ses rêves ne finissent pas par s'accorder avec ceux de l'autre, tu ne crois pas qu'il faut se dire, à un moment donné, qu'il y a eu une erreur de distribution et qu'il vaut peut-être mieux passer son chemin sans s'attarder davantage? Et ce, pour la simple et bonne raison que la vie est courte, très courte... Et le temps de l'amour aussi, peut-être...

Laurence se tut alors. Elle paraissait émue. Regrettait-elle ses paroles? Peut-être simplement était-elle embarrassée. Quoi qu'il en soit, un ange trouva que c'était le moment idéal pour passer. Je trouvais que mes progrès n'étaient pas énormes. Ils étaient plutôt maigres, même. Mais vous, qu'en pensez-vous? Est-ce que je devrais persévérer? Et dans la même voie? Ou utiliser une autre stratégie, ou n'en pas utiliser du tout, ce qui en est une tout de même? Jouer l'ultime carte, mettre mon coeur sur la table?

À ce moment, les entrecôtes arrivèrent.

— J'espère qu'elles vont être à votre goût, dit le maître d'hôtel.

— Nous aussi, répondis-je.

— Et bon appétit.

— Nous allons en avoir besoin, je pense, dis-je à l'adresse du maître d'hôtel, qui ne releva pas la plaisanterie.

On mangea quelques bouchées silencieusement.

— Moi, finis-je par dire, ce n'est pas des cours pour améliorer la mémoire que je devrais suivre, mais pour la perdre. Est-ce que tu connais une méthode?

— Je connais une école...

— Ah oui? Et comment s'appelle-t-elle?

— L'école du temps...

— Je la connais, j'y ai suivi des cours depuis un an... Mais j'ai échoué tous mes examens...

— Tu n'as peut-être pas été assez assidu, assez attentif. Il faut faire des efforts, tu sais, pour apprendre.

— Pour apprendre, peut-être, mais pour oublier?

— C'est la même chose, mais à l'envers.

— Ce serait inutile, parce que...

— Parce que quoi?

— Parce que je suis incapable d'accepter notre séparation... C'est peut-être irrationnel mais c'est ainsi. J'ai beau essayer de me raisonner, c'est peine perdue.

— Peut-être est-ce parce que tu n'essaies pas vraiment, tu ne crois pas?

— Ah non! parce que pour essayer, j'ai essayé, ça je te le dis.

— Sors plus, va dans les bars.

— Si tu savais comme ces étalages de viande me donnent la nausée.

— Je veux bien, mais il n'y a pas que les bars. Ce n'est pas bon de rester enfermé. Et puis, tu ne crois pas que si tu t'obstines, c'est par orgueil?

— Par orgueil?

— Oui, par orgueil. Si c'était des manigances?

— Des manigances?

— Oui, pour te venger. Pour me quitter lorsque je serais revenue.

— C'est complètement absurde.

— Sans doute, se contenta-t-elle de dire.

Elle se tut un moment, puis, manifestant une certaine nervosité, elle dit:

— J'ai arrêté de fumer depuis un mois, mais ce soir je vais faire une exception, j'en ai trop envie. Est-ce que tu as des cigarettes?

— Non, mais je vais en chercher immédiatement.

— Tu n'as pas oublié ce que je fumais? observa Laurence en voyant le paquet de Gitanes que je rapportais.

— Non, évidemment.

— Bon, alors il faut que tu m'interdises d'en fumer plus qu'une. Sinon, je sens que je vais recommencer. Et ça serait idiot, après avoir réussi à arrêter un mois.

— Oui, tu as raison. Une seule, pas plus, approuvai-je en lui tendant une cigarette qu'elle porta à ses lèvres.

Mais je la lui retirai aussitôt et la plaçai à côté de la mienne, pour les allumer ensemble.

— Tu te souviens? Le jour de notre rencontre, c'est ainsi que j'avais allumé la cigarette que je t'avais offerte, et ça t'avait bien amusée.

— Oui, je me souviens, dit-elle, souriante et comme attendrie. C'est à ce moment que j'ai commencé à fumer ces horribles cigarettes.

— C'est vrai.

— Et, au fond, c'était peut-être mieux ainsi, parce que, si j'avais continué avec mes Players, je pense qu'il y aurait eu incompatibilité olfactive.

La plaisanterie m'amusa. Suivit un silence que je rompis bientôt pour dire, très timidement, en murmurant presque:

— En un an, j'ai compris beaucoup de choses, et j'ai changé, tu sais.

— Moi aussi, j'ai compris beaucoup de choses, et j'ai changé. Tu ne me reconnaîtrais plus. Je suis nerveuse, je suis impatiente, et puis je ne suis plus d'aussi bonne humeur qu'avant.

— Sans doute parce que tu vis seule.

— Peut-être, en partie, mais surtout parce que je vois les choses d'une façon différente. Je me suis rendu compte qu'il y avait dans la vie beaucoup de laideur que je ne soupçonnais pas et que, au fond, pour les gens, on n'a aucune importance. Quand on peut leur être utile, ça va, mais ensuite ils vous éliminent, ou en tout cas ils vous oublient.

— Tu es pessimiste.

— Peut-être.

— Est-ce que tu es heureuse?

— Est-ce que tu connais des gens qui le sont?

— Je ne sais pas. Mais il y a une chose, tout de même, que je me dis. Si nous avons changé, tous les deux, tu ne crois pas qu'on pourrait recommencer à neuf, sur une base nouvelle?

— Non, je ne crois pas. Tu sais bien que c'est trop tard, qu'il n'y aurait rien de vraiment changé entre nous. Au début, peut-être, les premiers jours, mais après nous retomberions dans les vieilles ornières du passé. Et ça deviendrait vite insupportable, comme avant. Non, je crois qu'il faut être réaliste et cesser de s'illusionner, c'est sans avenir.

— Je ne vois pas comment tu fais pour dire ça, comment tu peux dire de quoi demain sera fait. Moi, en tout cas, j'entrevois un très bel avenir pour nous deux, un avenir lumineux, comme un lever de soleil. Par exemple, j'ai pensé que nous pourrions avoir des enfants...

— Des enfants? Tu n'en as jamais voulu, malgré mon insistance; tu disais que ce n'était que des ennuis.

— Je n'ai jamais dit ça!

— Tu le pensais, en tout cas.

— Je disais simplement qu'il était trop tôt, que nous n'étions pas encore prêts en tant que couple.

— Ce n'était qu'un prétexte.

— Non. Et d'ailleurs j'ai compris qu'il était temps maintenant.

— Moi, j'ai compris qu'il était absurde de m'obstiner à vouloir des enfants avec un homme qui n'en voulait pas.

— Maintenant, j'en veux, je te le dis. Et j'ai pensé que ce serait l'occasion idéale de faire coïncider cette décision avec l'achat d'une maison.

— Une maison! s'écria alors Laurence qui éclata d'un rire extravagant. Excuse-moi, mais c'est trop drôle. Je crois rêver. J'hallucine.

— Tu hallucines? Je ne comprends pas.

— C'est pourtant bien simple. Toi, tu penses que je vais te croire, Pierre Chagnon, quand tu me parles d'une maison? Tu crois que je peux ne pas halluciner? Toi qui m'as répété des dizaines de fois que c'était bourgeois et que nous aurions toujours le temps de nous «installer», comme tu disais avec une ironie si méprisante. Et tu prétendais que nous n'avions pas l'argent, que c'était trop cher… Et moi, la naïve, je me suis laissé berner jusqu'à ce que je me rende compte que toutes les raisons que tu me donnais n'étaient que des prétextes, que les trois cents dollars que nous donnions à notre propriétaire nous coûtaient aussi cher… Oui, je me suis laissé conter des histoires jusqu'à ce que je m'aperçoive que ce que tu ne voulais pas, au fond, ce n'était pas la maison, c'était de t'engager davantage avec moi. Parce qu'une maison, c'est encombrant, surtout quand on a l'intention de quitter quelqu'un.

— Je n'ai jamais eu l'intention de te quitter!

— Jamais?

— Non, jamais!

— Tu as la mémoire courte. Souviens-toi, il y a deux ans.

— Il y a deux ans?

— Oui, il y a exactement deux ans, cette fameuse fin de semaine, tu ne t'en souviens pas? Allez, ne fais pas l'innocent.

— Quand nous sommes allés nous reposer à Saint-Jovite? Ah oui! je m'en souviens bien, nous avons passé la fin de semaine à boire du champagne et à faire l'amour.

— Ce n'était pas du champagne, c'était du Codorniu. Et puis, pour l'amour, je n'ai pas été dupe. Si tu m'as fait l'amour, c'était par désoeuvrement, parce que tu t'ennuyais. Seul avec moi, sans tes maudits livres. Et puis aussi parce que tu étais saoul. Parce qu'à Montréal, à froid... Mais, de toute façon, ce n'est pas de cette fin de semaine-là que je veux parler, c'est de l'autre. Et tu sais très bien de quoi je veux parler. Lorsque tu as voulu être seul, deux jours, parce que tu avais besoin de réfléchir. De réfléchir... et moi, j'ai cru ça. Tu disais que tu voulais repenser notre couple. Quand je me suis inquiétée, quand j'ai cru que tu voulais me quitter, tu m'as dit que j'avais tort, que tu voulais seulement te reposer quelques jours. C'est charmant de se faire dire qu'on veut être seul pour se reposer. Ça veut dire tout simplement que ma présence te fatiguait, que tu en avais assez d'être avec moi.

— Mais non. C'est normal que, dans un couple, parfois, chacun puisse se retrouver seul, provisoirement; c'est salutaire, pour mieux retrouver l'autre ensuite. Il y aurait peut-être beaucoup moins de séparation dans les couples si chacun de ses membres pouvait occasionnellement se ménager un moment de solitude.

— En tout cas, avec moi, les moments de solitude, on ne peut pas dire que tu les aies ménagés, parce que j'ai toujours eu l'impression d'être seule. Et puis cette idée de se séparer pour mieux se retrouver, ce n'était qu'une histoire à dormir debout. Et pourtant, cette histoire, en naïve que j'étais, j'y avais cru. Et même si j'avais eu des inquiétudes au début, j'étais heureuse, j'étais heureuse parce que j'avais pris le parti — idiot, j'allais bientôt m'en rendre compte — de te faire confiance. Et je m'étais remise à chanter, le matin, en me levant, comme à nos débuts. J'en avais profité pour terminer ton foulard de laine pour qu'il soit prêt pour l'hiver. Et j'en avais profité, aussi, pour trouver une nouvelle disposition de l'appartement. Parce que j'y croyais, moi, à cette idée de se retrouver et de prendre un nouveau départ. Mais quand tu es revenu, avec quatre bonnes heures de retard, si bien que j'ai dû manger seule le repas que je t'avais préparé, ce n'était pas pour célébrer nos retrouvailles, c'était pour me dire que tu avais bien réfléchi et que tu en étais arrivé à la conclusion qu'il fallait nous séparer, que la vie commune n'était plus possible. Pourtant tu n'étais pas allé là-bas pour réfléchir, en tout cas pas seulement pour ça, mais plutôt pour te payer deux jours d'orgie avec cette espèce de traînée qui te tenait lieu de secrétaire.

— C'est idiot! Tu sais bien que je suis parti seul, c'est toi-même qui es venue me reconduire à la gare.

— Tu es parti seul, peut-être, mais elle est allée te retrouver.

— Tu déraisonnes.

— Non, j'ai une preuve!

— Une preuve?

— Oui, une preuve. Je n'ai jamais voulu t'en parler parce que, quand j'ai su que j'avais perdu ton amour, je n'ai pas voulu perdre ton estime aussi.

— Je ne comprends rien à ce que tu dis.

— Attends, tu vas comprendre, ce ne sera pas long. Quand tu m'as annoncé ta décision, j'ai fait une crise de larmes, j'ai pleuré, je t'ai supplié de ne pas me quitter et j'ai vu dans tes yeux non pas que tu regrettais ta décision mais que tu avais pitié de moi. Et ça, c'est horrible, de voir briller dans les yeux de celui qu'on aime de la pitié. Et quand tu m'as promis que tu n'allais pas partir, quand tu m'as juré que tu m'aimais, j'ai bien vu que c'était pour m'épargner, que tu avais seulement remis à plus tard ton départ, que tu voulais me préparer... J'ai bien vu, dans ton regard, que ton idée était faite. Et puis ensuite, tout de suite après, quand tu es sorti, supposément pour aller acheter des cigarettes, je ne me suis pas méfiée, sur le coup, mais, en allant dans la chambre, j'ai vu sur la table de chevet ton paquet de cigarettes ouvert et qui était plein. Alors, c'est curieux, mais pour la première fois depuis que nous étions ensemble, je ne sais pas pourquoi, mais j'ai eu un doute, un doute qui est devenu rapidement très fort, qui est devenu une certitude. La certitude que tu me cachais quelque chose, que tu me mentais. Alors, j'ai mis mon manteau et je t'ai suivi. J'avais honte un peu de poser un tel geste, mais c'était plus fort que moi, je voulais en avoir le coeur net. Et j'en ai eu le coeur net. J'ai su bientôt que tu m'avais menti, que tu avais une vie ailleurs, parce que ce n'était pas pour aller chercher des cigarettes que tu étais sorti. Ah oui! bien sûr, tu en as acheté, pour la frime, évidemment, parce que tu n'es pas un idiot, quand même. Mais ce que tu es allé faire, c'est un téléphone. Je t'ai vu dans la boîte téléphonique du coin. Et j'ai compris, à tes mimiques et à tes gestes, que ce n'était pas à ton père ou à ton patron que tu parlais, mais à elle, à celle pour qui tu voulais me quitter. Et j'ai bien sûr compris que tu lui expliquais que tu n'allais pas pouvoir la rejoindre tout de suite, parce que ta femme ne le supporterait pas. Et j'ai bien vu qu'elle t'a raccroché la ligne. Parce que tu as essayé de la rappeler, mais en vain. Et puis je me suis enfuie, de crainte que tu me voies. Et, de toutes mes forces, j'ai tenté d'oublier ce que j'avais vu, et ce que j'avais entendu sans vraiment l'entendre, et je me suis promis de ne jamais en parler à personne, dans l'espoir d'oublier. Mais, comme tu vois, ça n'a pas marché, il y a des choses qu'on ne peut pas oublier, des douleurs…

— Mais tu délires…

— Est-ce que tu nies avoir téléphoné, ce soir-là?

— Non… enfin, je ne sais plus trop ce que j'ai fait…

— Moi, je m'en souviens. Et j'ai compris aussi que si tu es resté avec moi, finalement, c'était par dépit, c'était aussi par crainte de te retrouver seul parce que celle avec qui tu devais partir, eh bien, elle est partie, mais sans toi. J'en ai l'absolue certitude, parce que, le mardi de cette semaine, dans un accès de jalousie, n'étant plus capable de me retenir, j'ai appelé à ton bureau pour parler à ta secrétaire. Je ne savais plus trop ce que je faisais, je voulais l'interroger sans lui poser de questions, essayer d'obtenir un indice. Et j'ai eu la surprise d'apprendre, une surprise qui en même temps a été une confirmation catégorique de mes doutes, qu'elle avait démissionné la veille, dans l'après-midi, à l'étonnement de tout le monde au bureau. Alors, est-ce que tu nies encore?

— Je crois que...

— Pourquoi t'obstines-tu? De toute manière, moi, je suis convaincue, et puis ça ne changerait rien. Ça ne changerait rien ou plutôt ça me prouverait peut-être que tu peux faire preuve de sincérité, que tout ce que tu me dis pour me convaincre de revenir est vrai.

— Parce que tu ne crois pas que je sois sincère?

— Tant que tu t'obstines à nier, tant que tu me mens, donc, comment veux-tu que je te croie?

— Je... J'ai été idiot peut-être. Je vais te parler, je vais te dire ce qui s'est passé exactement; ce n'est pas ce que tu imagines. Je ne sais pas, d'ailleurs, pour quelle raison je ne t'en ai pas parlé avant. Peut-être à cause de mon père...

— Qu'est-ce que ton père vient faire là-dedans?

— Eh bien, c'est idiot, mais un jour il m'a dit une chose; je ne sais pas s'il venait d'avoir une déception, il avait une vie sentimentale si compliquée, mais il m'a dit ceci: «Mon fils, en amour, c'est comme en politique, il faut toujours nier, il ne faut jamais admettre qu'on a tort.»

— Eh bien, je regrette, mais il avait tort, ton père.

44

Parce que la sincérité, c'est la base même de l'amour; sans elle, il n'y a pas d'amour possible.

— Peut-être, mais il m'a dit ça d'une telle manière, c'était la première fois qu'il me parlait ainsi, alors ça m'est resté.

— Je comprends, même si c'est idiot de l'avoir écouté. Mais parle maintenant.

— Eh bien, c'est simple, tu vas voir. Premièrement, cette fin de semaine, je l'ai passée vraiment seul.

— Elle n'était pas là?

— Non!

— Tu me le jures?

— Oui.

— Mais quand tu es revenu, le soir, c'est bien à elle que tu as téléphoné?

— Oui.

— Bon, alors tu avoues, elle était ta maîtresse?

— Non.

— Mais il y avait quelque chose entre vous?

— Non.

— Alors, pourquoi l'as-tu appelée un dimanche soir? Et surtout, pourquoi a-t-elle démissionné si subitement, le lendemain?

— C'est que… C'est qu'elle s'était amourachée de moi, je ne sais pas trop pourquoi, peut-être parce qu'elle était jolie et que j'étais le seul dans le bureau à ne pas m'occuper d'elle. Mais , elle avait fini par me troubler avec ses idées de voyage. Elle voulait…

— Elle voulait quoi, que voulait-elle? Allez, parle…

— Eh bien, elle voulait que nous partions ensemble, je ne sais pas, je m'étais laissé tourner la tête, mais quelques instants seulement… Parce que je trouvais son projet insensé.

— Mais tu lui avais pourtant demandé deux jours pour y penser et tu devais lui donner ta réponse le dimanche soir. Et ta réponse, c'était oui, tu ne trouvais pas son projet si insensé puisque tu étais prêt à partir avec elle!

— Je n'étais pas prêt, c'est faux...

— Mais alors, pourquoi, à ton arrivée, m'as-tu annoncé que tu me quittais?

— Je ne sais pas, je ne savais pas ce que je disais, j'étais perdu.

— Tu parlais bien froidement, pourtant, quand tu m'as annoncé ta décision. Tu avais l'air d'un homme qui a longuement réfléchi et qui ne prend pas une décision irrationnelle.

— Elle l'était, pourtant. Elle était absurde, et je m'en suis rendu compte immédiatement quand j'ai vu tes larmes; je me suis rendu compte que tes larmes m'étaient insupportables, et que l'idée d'être heureux ailleurs, sans toi, était insensée.

— Tu as eu pitié, plutôt, tu as eu pitié de mes larmes.

— Mais puisque je suis resté.

— C'est qu'elle t'avait quitté. Et d'ailleurs, dans quelles conditions es-tu resté? Pendant trois mois, tu as été insupportable. Tu ne parlais plus, tu ne riais plus, tu ne voulais plus rien faire. Et je savais pour quelle raison, mais je préférais me taire. Je savais que j'étais devenue pour toi un poids, et que ce changement de vie, ce voyage que cette putain t'avait proposé, tu l'avais souhaité et tu le regrettais.

— Non, c'est faux!

— Oui, c'est ça, écoute ton père, continue à nier, moi je sais à quoi m'en tenir.

— Je traversais une mauvaise phase à mon travail.

— Tu parles, si tu traversais une mauvaise phase: ta putain n'était plus là, à côté de toi, et tu devais renoncer à un voyage...

— Mais non, ce n'est pas ça. Simplement, nous avions des difficultés, beaucoup de clients insatisfaits et un surcroît de travail. Et puis, tu sais bien que je n'ai jamais aimé ce maudit travail.

— De toute façon, la vérité, je sais bien que je ne la connaîtrai jamais, en tout cas pas de toi.

— Mais je viens de te la dire, la vérité; tu es donc de mauvaise foi, je n'en reviens pas.

— Je suis peut-être de mauvaise foi, mais admets que j'ai raison de l'être.

— Tu as peut-être des raisons, mais tu n'as pas raison, je crois.

— Quoi qu'il en soit, j'en ai assez d'être ici, trancha Laurence.

À ce moment, le maître d'hôtel arriva à notre table. Il remarqua que nous avions à peine touché à nos assiettes et s'en inquiéta aussitôt.

— Ce n'était pas à votre goût?

— Eh bien, pour vous dire vrai, à force de nous parler d'allergies et d'indigestions, vous nous avez coupé l'appétit.

— Oh! je suis... je suis confus, je m'excuse. Il me semble pourtant... Mais nous pouvons arranger ça, je crois. Dans des circonstances pareilles, comme vous êtes de très bons clients... Attendez voir... Nous pourrions songer à réduire et même à ne plus laisser que le vin. Et même encore, puisqu'il ne s'est pas trouvé à accompagner quoi que ce soit...

Je lui coupai la parole pour lui dire:

— Bon, ce n'est pas dans mes habitudes ni dans mes principes, mais si vous insistez avec... comment dire?... avec autant d'insistance, vu la vieille amitié qui nous lie et que je ne voudrais pas compromettre, j'accepte, mais au seul nom de cette amitié, de vous laisser intégralement l'addition. Est-ce que tu viens, Laurence? Nous allons partir immédiatement. Nous sommes presque en retard pour le spectacle.

— Je, heu... bafouilla le maître d'hôtel.

— Non, non, ne vous en faites pas. Je vous assure, notre amitié n'est pas en question, ni la réputation de votre restaurant.

— Oui, c'est bien, je vous en remercie. Mais un petit détail...

— Un détail?

— Oui, c'est seulement que j'avais pensé, comme chaque année, même si vous êtes pressés, que vous pourriez m'écrire un petit quelque chose dans notre livre d'or, dit le maître d'hôtel qui me présenta alors ouvert sur une page vierge le livre d'or de la maison.

— Oui. Attendez que je réfléchisse un peu. Tenez, j'ai une idée. *Veni, vidi,* vomi. César.

— César? C'est du latin, alors?

— Oui. Quand César eut envahi la Corée, après une campagne très difficile, il a eu très faim, il s'est arrêté à Genève et il a mangé énormément de choucroute, parce que c'était la spécialité de la ville et surtout parce que c'était son péché mignon. Et, en sortant du restaurant, il a été terrassé par une crise d'épilepsie. Alors, pour ne pas perdre la face devant ses soldats, il a eu une idée géniale et, en se relevant, il a dit justement ce que je vous ai écrit: «*Veni, vidi,* vomi.» Ce qui veut dire: «J'ai bien mangé, et vous, amis?»

— Ah oui! je comprends. Vous, amis... Vomi...

— C'est ça…

— Je vous remercie infiniment de cette pensée… comment dire?

— Historique.

— Oui, c'est le mot que je cherchais. Une pensée historique.

Il referma le livre, tout souriant, et s'inclina pour nous saluer. Laurence se leva, et je la suivis après avoir serré rapidement la main du maître d'hôtel.

— On peut dire que ça n'aura pas été sa soirée, à ce pauvre maître d'hôtel, fit remarquer Laurence à la sortie du restaurant.

— Ni la nôtre.

— Oh! ça n'a pas été si mal, tout compte fait. Il fallait s'attendre à ce qu'il y ait certaines tensions, hein?

— Oui, c'est vrai.

— Bon, eh bien, je voudrais te remercier, dit alors Laurence qui me tendit la main d'une manière amicale, sans doute, mais qui me parut extrêmement froide.

Comme je ne lui présentais pas la main, elle dit, sans paraître vraiment offusquée, plutôt curieuse et étonnée:

— Tu ne me serres pas la main?

— J'aurais aimé qu'on parle davantage puisque j'ai l'impression, je ne sais pas si je me trompe, que c'est la dernière fois que nous nous voyons.

— Tu te trompes, je ne vois pas pour quelle raison tu dis ça, nous allons certainement avoir l'occasion de nous revoir, je n'ai jamais dit que je te refusais mon amitié.

— C'est encore la façon la plus simple de se débarrasser d'un amant.

— Quoi donc? demanda Laurence avec une sincérité qui me parut douteuse.

— Lui offrir son amitié, spécifiai-je.

— Tu trouves? Moi, je trouve au contraire que l'amitié entre un homme et une femme peut être la plus belle chose au monde, d'autant plus qu'elle est tellement rare. Est-ce que tu la refuses?

— Non. Et d'ailleurs, pour te le prouver, je vais te demander quelque chose au nom de cette amitié.

— Qu'est-ce que c'est?

— De venir prendre un café chez moi pour que nous puissions terminer la discussion que nous avons commencée.

— C'est impossible, Pierre, je n'ai pas le temps, je te l'ai dit. Et puis qu'est-ce que ça nous donnerait?

— Je voudrais qu'on parle encore de ma démission. Et il y a un dossier que je voudrais te montrer.

— Un dossier?

— Oui.

— Eh bien, c'est bien la première fois que tu me demandes ton avis au sujet de ton travail.

— Alors, tu acceptes?

— Je n'ai pas dit ça.

— Je te le demande encore une fois.

— Oui, c'est d'accord, mais une petite heure, pas plus. J'ai mon curriculum.

— Promis.

— Pourquoi est-ce que tu ne déménages pas? me demanda Laurence en arrivant à la porte du logement où nous avions passé les deux dernières années de notre mariage.

— Ce serait trop difficile.

— Au début, peut-être. Mais ensuite, ça t'aiderait. Tu ne crois pas que ce soit malsain de vivre dans des lieux qui te rappellent tant de souvenirs?

— Je n'ai pas le choix.

— Tu ne devrais pas dire ça. On a toujours le choix.

— Non. Est-ce que j'ai le choix que tu reviennes, moi, par exemple?

— Non, peut-être. Mais pour ta vie à toi, tu as le choix.

— Ma vie à moi, comme tu dis, c'est toi.

— Pierre... En tout cas, ça ne doit pas être le meilleur moyen d'oublier.

— Mais je ne veux pas oublier, laissai-je tomber d'une voix blanche.

— Tu devrais, Pierre, tu devrais...

— Je ne peux pas.

Et, sur ce, j'introduisis Laurence dans mon logement. Son aspect parut la surprendre.

— Tu vois, lui dis-je, j'ai tout respecté.

— C'est épouvantable, Pierre, tu ne te rends pas compte, me dit Laurence, sa surprise première passée.

— Je n'ai rien changé par respect pour notre amour.

— Mais Pierre, un amour, c'est vivant, ce n'est pas un bibelot qu'on met dans un musée. Tu vis dans les limbes du passé. Il faut que tu réagisses, que tu te ressaisisses. Il faut que tu déménages ou au moins que tu changes de décor.

— C'est impossible. C'est comme si tu me demandais de m'amputer.

— Pierre, je ne te reconnais plus.

— Moi non plus.

— Toi qui étais si épris de logique, rationnel à tout prix...

— C'est un reproche?

— C'est une constatation. Tu ne la trouves pas juste?

— Oui. Mais ce que tu me demandes est impossible.

— C'est du masochisme, Pierre. Je n'aime pas que tu souffres inutilement. Tu devrais tourner la page. Dans un an, dans six mois même, tu vas voir que tout ça c'était du temps perdu, tu vas te trouver ridicule.

— Tu me trouves ridicule?

— Non, ce n'est pas ça que j'ai voulu dire, Pierre, tu le sais bien... Mais je trouve que c'est insensé, cette obstination qui te fait mal inutilement...

— De toute manière, je n'en ai plus pour très longtemps...

— Qu'est-ce que tu veux dire?

— Je... Si je démissionne, je vais partir...

— C'est une bonne idée... Un voyage te ferait beaucoup de bien... Ça te permettrait de prendre un recul.

— Sans doute...

— J'en suis sûre, Pierre, tu devrais partir.

— On dirait que ça t'arrangerait...

— Pas du tout. Je ne vois pas ce que tu vas chercher là. C'est pour toi que je disais ça, tu le sais bien.

— Oui, je le sais, ce n'est pas pour toi, malheureusement. Mais passons. Ne reste pas ainsi debout. Donne-moi ton manteau et assieds-toi.

Elle déboutonna son manteau de manière mécanique et me le tendit en disant d'une voix curieuse:

— Tu permets que je constate l'ampleur des dégâts?

— Oui, je t'en prie.

Elle s'avança lentement, passa du salon à ma pièce de travail, puis à la chambre, jeta un rapide coup d'oeil à la cuisine et revint avec une expression étrange, une sorte de gravité triste. Mais son visage, imperceptiblement, se modifia, et elle déclara:

— Il faut absolument que tu fasses des changements, Pierre, les choses ne peuvent rester ainsi.

— Oui.

— Et dis-moi, qu'est-ce que c'est que tous ces téléphones? Est-ce que tu fais une collection?

— Non, c'est que c'est plus pratique.

— Ça m'étonne de toi, toi qui disais que le téléphone était une invention aliénante.

— J'ai changé d'idée.

— J'en ai compté cinq. Est-ce que c'est bien nécessaire? Et puis, tu ne crois pas que tu pourrais changer la couleur? Ce serait moins monotone, il me semble.

— Je préfère le noir.

— Oui, évidemment.

Alors, s'approchant de l'appareil qui était posé sur la table du salon, Laurence remarqua un bout de papier que j'avais laissé traîner là et sur lequel j'avais griffonné un numéro de téléphone.

— Mais c'est le numéro de ma mère, fit remarquer Laurence.

— Oui.

— Tu l'as appelée?

— Heu... Oui... Je m'ennuyais d'elle. C'est curieux, mais il y a des jours où c'est prodigieux ce que je pense à elle.

— C'est peut-être parce que tu n'as jamais eu de mère.

— Ne dis pas ça, ne dis jamais ça! dis-je d'une manière très violente.

— Je m'excuse, ce n'est pas ça que j'ai voulu dire... Tu as perdu ta mère si jeune... s'expliqua Laurence qui était confuse et que la violence de ma réplique avait surprise.

— Bah... Ce n'est pas grave, au fond...

— Mais dis-moi, de quoi avez-vous parlé, ma mère et toi?

— De choses et d'autres...

— Comme par exemple?

— Je ne sais pas, moi. J'ai commencé par prendre de ses nouvelles.

— Elle devait être surprise.

— Surprise? Pourquoi?

— Parce qu'en cinq ans c'est bien la première fois que tu l'appelles.

— Nous nous voyions souvent, avant, alors ce n'était pas nécessaire.

— Mais tu ne m'as pas encore dit de quoi vous aviez parlé.

— Je lui ai demandé une recette.

— Une recette?

— Oui, sa recette de quiche lorraine, celle qu'elle t'avait montrée et que j'aimais tant.

— Et pourquoi lui avoir demandé cette recette? Tu ne vas tout de même pas me faire croire que tu t'es mis à faire de la cuisine, toi qui étais incapable de faire cuire un oeuf?

— Justement, j'ai décidé d'apprendre. J'ai pris des résolutions. Et puis, tu sais, j'ai déjà réussi à faire ma première quiche lorraine. Oh! évidemment, je n'irai pas jusqu'à dire qu'elle était comestible... D'ailleurs, je n'ai pas pris de chance, parce que, c'est drôle, je ne sais pas ce que j'avais mis dedans, mais elle avait une odeur de brûlé très curieuse... Mais je suis quand même fier d'avoir réussi à mettre tous les ingrédients sans en oublier un seul.

— Qu'est-ce que ma mère a dit à mon sujet? demanda Laurence qui, très sérieuse, ne paraissait pas entendre à rire.

— Rien... enfin rien de très intéressant.

— Qu'est-ce qu'elle a dit?

— Ça a l'air de te préoccuper énormément, ce

qu'elle a pu dire. Dis-moi donc, as-tu quelque chose à cacher?

— Mais non, dit Laurence avec une violence exagérée.

Pour la première fois peut-être depuis le début de notre conversation, je la sentais fragile, vulnérable. Elle poursuivit, explicitant sa dénégation:

— Tu peux bien lui demander ce que tu veux, qu'est-ce que ça peut me faire?

— Oui, au fond...

— Est-ce qu'elle avait l'air contente que tu l'appelles?

— Oui, très. Je pense que notre séparation lui fait beaucoup de peine.

— Oui, évidemment, parce qu'elle voit ça de l'extérieur. Et puis il y a autre chose, c'est l'idée de notre séparation qui la fait souffrir et non pas notre séparation. Tu comprends, ça bouscule tous ses principes, tout son univers.

— Ne la méprise pas.

— Je ne la méprise pas.

— C'est normal que notre séparation l'attriste.

— Et elle a dû te dire qu'il fallait être patient avec moi, que je traversais une crise, que c'était provisoire et que j'allais te revenir. Parce que le geste que j'avais posé était insensé, que j'étais malade, très malade.

— Pourquoi dis-tu ça?

— Parce que c'est ce qu'elle m'a dit, à moi, et qu'elle répète à qui veut l'entendre.

— Ah! je l'ignorais.

— Elle ne t'a pas parlé de ça?

— Non, enfin pas vraiment. Évidemment, elle déplore notre séparation.

— Est-ce qu'elle t'a donné des conseils?

— Non, pas vraiment.

— Et est-ce qu'elle t'a posé des questions sur ma vie, je veux dire sur ma vie privée?

— Elle m'a demandé si je croyais que tu étais heureuse.

— Que lui as-tu répondu?

— Qu'est-ce que tu crois que je lui ai répondu?

— Je ne sais pas. Je ne suis pas devin.

— Moi non plus. Je lui ai tout simplement dit que je ne le savais pas. Mais si je te le demandais à toi, bien honnêtement?

— Tu me l'as déjà demandé.

— Mais si je te le demandais à nouveau?

— Je ne sais pas, je n'y ai pas pensé.

— Alors, dis-moi seulement une chose: es-tu plus heureuse qu'avant ?

— Je ne sais pas, Pierre, je ne sais pas, ce sont des questions auxquelles je ne peux pas répondre.

— Tu as sans doute raison. Excuse-moi. Je ne sais plus ce que je dis. D'ailleurs, la preuve, c'est que je ne t'ai même pas offert à boire, encore. Prendrais-tu un digestif? Un Grand Marnier, peut-être?

— Non, je te remercie.

— J'ai du Courvoisier, aussi.

— Ah! du Courvoisier? Je ne dis pas non.

Tandis que je m'approchais de l'armoire qui me servait de bar, Laurence dit:

— C'est un peu frais, ici.

— Le cognac va te réchauffer, tu vas voir. Et puis, si tu veux, j'ai une veste de laine dans la garde-robe.

Elle se leva et se dirigea vers la garde-robe. Elle en ouvrit la porte et je l'entendis bientôt pousser une exclamation curieuse.

— Pierre, mais qu'est-ce que c'est que ça?

— Quoi?

— Qu'est-ce que cette robe-là fait ici?

Je me retournai et aperçus la robe qu'elle avait tirée de la garde-robe. Je ne répondis rien, interloqué, ne m'imaginant pas qu'elle allait tomber sur cette robe.

— Je la cherchais depuis longtemps, reprit Laurence. Je pensais que je l'avais perdue. Mais à moins que ça ne soit pas ma robe. Elle appartient peut-être à une de tes maîtresses. Hein? Tu ne réponds pas? Quoique non, c'est bien la mienne, elle est déchirée au même endroit, sous le bras.

Elle considéra un instant sa robe avec un plaisir manifeste. C'était une robe bleu marine, avec de minuscules fleurs blanches, celle qu'elle portait lors de notre rencontre et que je préférais parmi toutes celles de sa toilette, même si elle n'était plus neuve.

— Mais qu'est-ce que tu fais avec cette robe?

— Rien. En tout cas, je ne la porte pas, si c'est ce que tu veux savoir.

— Mais pourquoi ne m'as-tu pas dit que tu l'avais? Je l'ai assez cherchée.

— Tu ne me l'as pas demandé.

— Et si je n'étais pas venue ici, ce soir, et n'avais pas ouvert cette porte de garde-robe par hasard, je ne l'aurais jamais trouvée.

— Non. Selon toute apparence, en tout cas.

— Et au fait, est-ce qu'il y a autre chose que tu gardes ainsi?

— Non, non, niai-je, mais avec un empressement qui me trahit, si bien que Laurence, après m'avoir considéré en fronçant légèrement les sourcils, s'empressa de fouiller à nouveau dans la garde-robe. Elle y découvrit une vieille robe de chambre et un joli gilet de laine vert irlandais qui lui avaient appartenu. Elle trouva également ment une chemise de satin, celle-là même qu'elle portait à notre première nuit d'amour, un dimanche après-midi, en fait.

— Mais qu'est-ce que tu fais avec toutes ces guenilles?

— Ce ne sont pas des guenilles!

— C'est pire, ce sont des reliques, c'est de la superstition, du fétichisme. Tu vas me faire le plaisir de me rendre tout ce linge! dit Laurence avec beaucoup d'éclat.

— Non, je ne te le rendrai pas.

— Mais pourquoi?

— Parce que... parce que c'est tout ce qui me reste.

— Mais c'est à moi qu'il appartient, ce linge, c'est mon droit de le ravoir.

— Tu ne le portes plus depuis un an, tu n'en as plus besoin.

— Même si c'était le cas, je refuse, par principe. Et ce n'est pas pour moi, c'est pour toi.

— Tu t'occupes bien de moi, tout à coup. Je te le demande comme une faveur, ce pourrait être mon cadeau d'anniversaire.

— C'est vrai, dit Laurence qui paraissait très embarrassée, c'était ta fête la semaine dernière, mais je ne sais pas ce qui est arrivé, j'y avais pensé puis j'ai eu beaucoup d'occupations et j'ai complètement oublié.

— Ce n'est pas grave, moi aussi j'ai oublié, comme tout le monde.

Laurence parut s'attrister davantage et, d'une voix très douce et très émue, me demanda:

— Il n'y a eu personne pour te fêter?

— Non.

— Même pas ton père?

— Il était en voyage.

— Et les amis?

— Non plus.

— Ah! c'est triste.

— Mais non, j'avais du travail en retard, j'en ai profité pour me rattraper. Et puis tu sais bien que, de toute manière, je n'ai jamais aimé les anniversaires.

— En tout cas, moi, je veux faire quelque chose, et pour le linge, tu as raison, je ne le porte plus depuis un an, tu peux bien le garder, ce sera mon cadeau d'anniversaire.

Et elle raccrocha la robe mais ajouta:

— Je trouve quand même que, si tu voulais être raisonnable, tu te débarrasserais de toutes ces vieilleries. Il ne s'agit que de faire un petit effort, et puis après ce serait terminé.

— Si c'était aussi simple.

— Ça l'est plus que tu penses. C'est comme de recommencer sa vie. Tu penses que c'est impossible, que c'est la fin du monde, mais c'est beaucoup plus simple, dit Laurence qui se rassit et à qui je tendis son verre de cognac.

Je m'en étais versé un, moi aussi.

— On porte un toast? lui demandai-je en m'attardant à contempler ses yeux si beaux et qui m'émouvaient tant.

— Si tu veux. Mais à quoi?

— À cette soirée si spéciale qui est sans doute notre dernière soirée.

— Tu dramatises inutilement.

— N'est-ce pas ce que tu souhaites?

— Que tu dramatises?

— Non, que ce soit notre dernière soirée.

Il me semble que le visage de Laurence s'assombrit imperceptiblement, que ses yeux se voilèrent. Elle eut une hésitation puis finit par dire, d'une voix très triste, empreinte de fatalité:

— Je crois que, en effet, c'est mieux ainsi... Mais buvons plutôt... Buvons à notre avenir... Buvons à la vie...

— Pourquoi pas?

Et nous bûmes. Laurence vida son verre, qu'elle me tendit pour que je l'emplisse à nouveau, puis elle dit, avec une exubérance qui me parut affectée:

— Parlons de ton fameux dossier.

— Oui, c'est vrai, j'allais l'oublier. Je vais aller le chercher. Attends, ce ne sera pas long, je l'ai laissé dans ma chambre.

— Tu dors avec tes dossiers, maintenant?

— Non, mais je m'en sers pour m'endormir.

Je me dirigeais vers ma chambre, lorsque je me ravisai soudain.

— Je vais mettre de la musique, suggérai-je, c'est un peu triste. Et puis ça nous évitera d'entendre les voisins se disputer.

J'allai mettre un disque, un disque que j'affectionnais de manière très particulière, le célèbre *Adagio* d'Albinoni que nous écoutions si souvent pendant l'amour. Puis j'allai vers ma chambre. Je ne me rappelais plus où j'avais laissé mon dossier. Je le cherchai. Sans trop savoir pourquoi, peut-être parce que j'avais vaguement l'impression qu'une fois dans ma chambre Laurence accepterait plus aisément de faire l'amour une dernière fois — ce que je pensais de lui suggérer depuis le début de notre rencontre —, je l'appelai:

— Petite blonde? dis-je tandis que résonnaient les si émouvantes mesures initiales du fameux *Adagio*.

Je n'obtins pas de réponse. J'appelai à nouveau:

— Ma petite perdrix?

Et, comme je n'obtenais pas davantage de réponse, je fis une nouvelle tentative:

— Mon lapin bleu?

Laurence se taisait toujours. Je retournai au salon avec en main le dossier que j'avais enfin retrouvé.

— Tu ne me réponds pas? demandai-je à Laurence en reparaissant au salon.

— Non, me dit-elle avec violence, parce que je ne suis plus ni ta petite blonde ni ta petite perdrix ni ton lapin bleu. C'est fini, tout ça. Et d'ailleurs, j'y ai repensé à cette manie que tu avais de me donner toutes sortes de surnoms. Je n'aurais jamais dû tolérer ça.

— Pourquoi? Tu exagères un peu, tu ne trouves pas?

— Non, parce que je ne suis pas un animal ni une petite fille. Je m'appelle Laurence, c'est mon seul nom. Oui, parce que cette manie des surnoms, c'est symptomatique.

— De quoi?

— Du fait que ce n'est jamais vraiment moi que tu as aimée, c'est tout simplement une image de moi, comme aujourd'hui d'ailleurs ce n'est pas moi que tu aimes, ce n'est pas avec moi que tu aimerais revivre, c'est avec une image que tu t'es composée avec des souvenirs et des rêves.

— Non, je ne crois pas. Si je t'appelais par des surnoms, c'est tout simplement parce que je trouvais ça plus original. Après tout, tout le monde t'appelait Laurence, et j'étais le seul à t'appeler ma petite blonde, par exemple.

— Tu étais peut-être le seul, aussi, à ne pas me considérer véritablement comme une personne.

Je ne relevai pas cette remarque. J'étais attristé. Je me contentai de dire:

— J'avais toujours cru que tu aimais cette manie, comme tu l'appelles...

Laurence ne répondit pas mais se détourna et pencha la tête.

— Laurence, qu'est-ce que tu as? Est-ce que j'ai fait quelque chose? Parle, dis quelque chose.

Elle se retourna vers moi et je vis que ses yeux étaient embués de larmes.

— Tu pleures? lui demandai-je.

— Non, c'est la fumée, dit-elle en se détournant. J'ai déjà perdu l'habitude.

— Tu as de la peine?

— Non, je te l'ai dit, c'est la fumée, rétorqua Laurence, excédée. Je n'aurais pas dû recommencer à fumer.

Et elle éteignit avec impatience la cigarette qu'elle venait à peine d'allumer. Puis elle porta la main à son visage sans que je puisse distinguer ce qu'elle faisait au juste.

— Cette musique... dit-elle mais sans achever sa phrase.

— Oui, qu'a-t-elle, cette musique?

— Enlève-la, je t'en prie, elle est obscène...

— L'*Adagio* d'Albinoni, obscène? Je croyais pourtant que c'était ton morceau préféré.

— Enlève-le, je te le demande. Sinon, je vais devoir m'en aller immédiatement.

— D'accord, je l'enlève.

Ce que je fis. Je choisis un disque au hasard, des pièces pour piano d'Erik Satie.

— Ça te convient? demandai-je à Laurence.

— Oui, c'est du Satie? dit-elle en me regardant pour la première fois depuis quelques instants.

— Oui. Au fait, à ce sujet, c'est un drôle de hasard parce que justement, cette nuit, j'ai fait un rêve, et, dans mon rêve, il y avait de la musique de Satie, ça ressemblait à ses *Gymnopédies.*

— Ah! c'est curieux.

— Je vais te le raconter. Tu crois aux rêves, toi, n'est-ce pas?

— Je crois que je rêve, mais les rêves, je ne sais pas...

— Mais, si je me souviens bien, tu sais interpréter les rêves.

— Plus ou moins.

— Ce n'est pas ta mère qui t'a appris comment?

— Oui. Raconte toujours, je verrai bien.

— J'espère, parce que moi je n'y comprends absolument rien. Voici comment ça a commencé. J'étais dans une forêt très sombre. C'était sans doute la nuit. Je ne savais pas trop pourquoi je me trouvais là mais je savais que j'avais conclu un pacte. J'avais perdu une amie que je connaissais depuis longtemps mais que, bizarrement, je ne pourrais pas reconnaître. Je devais lui remettre une bague pour la retrouver. J'aurais trois occasions, seulement, de lui remettre cette bague. Je suis arrivé bientôt dans une clairière resplendissante de lumière. Elle était pavée de dalles. Il y avait des bancs et beaucoup de promeneurs. Il y avait aussi une fontaine, au centre de la clairière. Je me suis assis près d'elle. J'ai attendu quelques minutes. J'étais très impatient. Il y avait de la musique de Satie qui venait je ne sais d'où. Et puis, tout à coup, il y a une jeune femme qui est arrivée à bicyclette. Elle venait dans ma direction. Elle était très belle. Elle a fait trois fois le tour de la fontaine, sans me regarder. Je ne réagissais pas. Puis, après trois tours, elle s'est éloignée. Mais, en s'éloignant, elle s'est tournée vers moi et elle m'a souri, d'une manière très triste. Et ce n'est qu'à ce moment-là que je l'ai reconnue, que je me suis aperçu que c'était elle, l'amie que j'avais perdue, celle à qui j'aurais trois fois l'occasion de remettre la bague. Je me suis levé précipitamment, j'ai tenté de la rattraper, mais j'étais incapable de courir après elle, mes souliers étaient devenus subitement infiniment lourds. Je l'ai appelée, mais en vain. Et mon rêve a pris fin.

En m'écoutant, Laurence s'était légèrement détournée mais pas assez pour que, lorsque je lui demandai quelle pouvait être la signification de mon rêve, je ne puisse m'apercevoir que ses yeux, à nouveau, étaient humides.

— Qu'est-ce que tu as, Laurence? Est-ce que tu pleures?

— Ce n'est pas grave. Je ne sais pas ce que j'ai, un peu de fatigue nerveuse, sans doute.

— Est-ce qu'il y a quelque chose que je peux faire pour t'aider?

— Non, ça va passer, ce n'est rien, dit-elle en s'essuyant les yeux et en s'efforçant de sourire.

— Est-ce que ce rêve est un mauvais présage?

— Je ne sais pas, il est trop compliqué. Il faudrait l'analyser en détail. C'est un rêve triste tout de même, il me semble, même si je n'arrive pas à le comprendre.

— C'est curieux, parce que moi, quand je me suis réveillé, le matin, je me suis aperçu que j'avais pleuré pendant la nuit.

— Oui, c'est un rêve triste.

— Est-ce que je peux te demander quelque chose?

— Le sens de ton rêve?

— Non, autre chose, une faveur...

— Demande toujours, on verra bien.

— J'aimerais qu'on fasse l'amour une dernière fois.

— Non, je refuse, et si c'est pour ça que tu as tant insisté pour que je vienne ici ce soir, je m'en vais immédiatement. Nous avions convenu que nous n'étions qu'amis.

— Je te le demande par amitié.

— C'est au nom de notre amitié que je te dis non.

— Mais pourquoi?

— Parce que nous ne serions pas plus avancés après, ça ne nous donnerait rien.

— Tu ne trouves pas que ce serait une bonne façon de nous dire adieu?

— Nous nous le sommes déjà dit. Non, ça ne nous avancerait à rien, je te le dis.

Je m'étais assis près d'elle. Je me penchai vers elle pour l'embrasser. Elle me repoussa d'une manière assez catégorique.

— Non, c'est inutile, surenchérit-elle, je n'en ai pas envie. Et puis je ne vois pas pourquoi tu me demandes ça à moi. Il y a plein de femmes qui seraient prêtes à faire l'amour avec toi.

— Elles ne m'intéressent pas.

— Elles devraient, pourtant.

— C'est toi que je désire, c'est toi que j'aime.

— Ce n'est pas de l'amour, c'est une obsession, une obsession morbide.

— C'est faux, ne dis pas ça, pas de mon amour.

— Je le répète, au contraire. Et c'est une obsession d'autant plus curieuse qu'avant notre divorce c'est toutes les autres femmes qui t'obsédaient.

— Je ne t'ai jamais trompée.

— Peut-être. Mais les autres femmes t'ont toujours obsédé. La fidélité était un fardeau pour toi.

— C'est faux.

— Non, inutile de nier. Ce sont des choses qu'une femme sent d'une manière sûre. J'ai surpris souvent ton regard dans les parties où nous allions. J'ai vu comment tu regardais les autres femmes. J'ai vu dans tes yeux ce même éclat qui brillait au début, quand tu me désirais encore.

— Je n'ai jamais cessé de te désirer.

— Tu as cessé assez vite de me le prouver, en tout cas. Et puis, de toute manière, je suis sûre qu'à l'époque il y a beaucoup de femmes qui t'auraient intéressé plus que moi.

— Non, c'est faux.

— C'est de l'entêtement. C'est irrationnel. Qu'est-ce que tu me trouves? Qu'est-ce que j'ai de différent des autres femmes sinon que je t'ai quitté?

— Tu étais différente...

— Oui, je veux bien, mais en quoi? Tu vois, tu ne le sais même pas.

— Tu étais vivante.

— Vivante?

— Oui. Depuis ton départ, j'ai l'impression de vivre parmi les morts.

— Si tu arrêtais de vivre dans un musée, aussi.

— Non, c'est à l'extérieur. Je ne m'en rendais pas compte avant. Toi, tu vivais avec intensité, ton amour était entier.

— C'est mon amour que tu aimais, alors, et non pas moi.

— Non, c'est toi, c'est ton intensité.

— Il y a d'autres femmes qui peuvent être aussi intenses.

— Non.

— Ça prend du temps, ça ne s'atteint pas en quelques mois, l'intensité, ça prend parfois des années. Et il faut que tu te donnes la peine d'aimer, de ton côté.

Pour toute réponse, je l'embrassai. Elle ne résista pas, demeura parfaitement immobile, silencieuse. Je tentai alors de la renverser sur le sofa. Mais, cette fois-ci, elle me repoussa et s'écria:

— C'est un viol, Pierre, rends-toi compte. C'est contre mon gré.

— Je t'aime, me contentai-je de dire.

— Je ne veux pas jouer ce petit jeu-là, Pierre, je t'en prie.

— Je te le demande... une dernière fois...

Elle demeura silencieuse. Elle me parut consentante. Elle n'opposait plus de résistance. Je déboutonnai son corsage. Elle dit alors:

— J'ai beaucoup maigri, je n'ai presque plus de seins.

— Je t'aime.

— Doucement, doucement, me pria Laurence devant ma hâte maladroite, c'est curieux mais j'ai peur, je suis gênée, c'est comme la première fois...

— Moi aussi, dis-je.

Et, relevant sa robe et me contentant de retirer brusquement ses dessous, je me fondis en elle, moi-même à peine dévêtu. Nos ébats furent bientôt interrompus. C'est que je m'aperçus que ce que je croyais être les soupirs de Laurence était en fait des sanglots. Je m'immobilisai, haletant.

— Tu pleures? lui demandai-je.

— Non, continue, continue, ne t'arrête pas, se contenta-t-elle de dire.

J'obéis, si j'ose dire, troublé par sa voix mais sans autant de passion. Je crois qu'elle ne connut pas la volupté, malgré mon acharnement désespéré qui rendit triste et surtout absurde la fin de notre étreinte. Et Laurence se leva presque immédiatement après pour déclarer:

— Il faut que je parte, maintenant.

— Tu ne passes pas la nuit ici?

— Non, c'est impossible. Je n'aurais jamais dû venir.

— Tu le regrettes?

— Il ne faut pas mêler les cartes, dit Laurence, en commençant à reboutonner avec impatience sa robe.

— Mêler les cartes?

— Il ne faut pas jouer avec l'amour, c'est trop grave, plus grave que tu penses.

— Je sais.

— Non, non, tu crois le savoir. Tu vois les choses en égoïste. Il faut être deux pour l'amour.

— Tu étais quand même consentante.

— Tu m'as presque violée!

— Au début peut-être, mais ensuite...

— J'ai voulu démystifier ça à tes yeux. Parce que j'avais compris que, avec le temps, l'amour physique avec moi avait pris une importance démesurée à tes yeux.

— Ah! j'aurais cru, dis-je, ayant peine à dissimuler la profondeur de ma déconvenue.

— Tu as échoué, laissa tomber sèchement Laurence. C'était inévitable. Mais je veux que tu saches que je regrette tout ce qui s'est passé. Je ne veux pas dire ce soir, ni notre mariage, mais tout ce qui a suivi notre séparation...

— Oui, je comprends...

— Et je veux aussi que tu saches que je garde beaucoup d'estime pour toi, et que tu garderas toujours une place spéciale dans mon coeur.

— Oui, mais tu ne m'aimes plus. Et il ne faut pas mêler les cartes, quand on aime.

— Quand on aime? me demanda Laurence avec surprise.

— Oui. Est-ce que tu vas te remarier?

68

— Me remarier? Mais c'est une chose à laquelle je n'ai pas pensé.

— Et lui?

— Lui?

— Oui, il n'a pas de projets?

— Qui ça?

— Ton amant.

— Mais... qu'est-ce que tu veux dire?

— Tout.

— Ma mère...?

— Oui...

— Elle m'avait pourtant donné sa promesse qu'elle ne dirait rien, dit Laurence, visiblement en colère.

— Elle ne t'a pas trahie.

— Comment ça?

— Je ne lui ai pas parlé.

— Tu m'as menti?

— Oui.

— Et le numéro de téléphone sur la table?

— Je n'avais pas eu le temps de m'en servir. Je devais le faire demain. J'ai fait une supposition, tout simplement, pour voir.

— Je te déteste. Et l'estime que j'avais pour toi, je ne l'ai plus. Adieu! Nous n'avons plus rien à nous dire.

— Attends, Laurence. Ce serait trop facile! Toi aussi tu t'es jouée de moi, toi aussi tu m'as menti, et pas pendant une heure, pendant... pendant combien de temps au juste? Depuis combien de temps êtes-vous ensemble?

— Trois mois.

— Je le connais?

— Non.

— Où vous êtes-vous rencontrés?

— Dans un bar.

— Quel âge a-t-il?

— Trente-huit ans.

— Et que fait-il dans la vie?

— Il est avocat.

— Ah! elle est bonne, celle-là. Il doit être riche, j'imagine.

— Non, mais il n'est pas pauvre.

— Et pourquoi ne m'en as-tu pas parlé avant?

— Tu ne me l'as jamais demandé.

— Peut-être pas directement, mais il me semble que, d'une certaine manière, nous n'avons jamais fait que parler de ça, de notre vie sentimentale.

— Oui, je sais, mais je craignais...

— Tu craignais quoi?

— Je n'arrivais pas à trouver la manière de te l'annoncer et j'avais peur de ta réaction.

— Pourquoi?

— Je ne sais pas...

— Et c'est sérieux?

— Sérieux?

— Oui, je veux dire, c'est une passade ou est-ce que vous avez des projets?

— Aucun.

— Mais alors, je ne te comprends pas... pourquoi ce refus de recommencer si ce n'est pas sérieux?

— Je ne sais pas. Il y a les faits, Pierre...

— Les faits, lesquels?

— Nous ne sommes plus ensemble, Pierre, depuis un an, tu devrais en tenir compte.

— Il y a aussi d'autres faits, nos cinq années de mariage, tout notre bonheur passé.

— Notre bonheur, Pierre, il est passé, justement, tu n'as pas su le retenir.

— Reste, reste pour la nuit seulement, je te le demande.

— Non, c'est inutile, c'est trop tard, c'est il y a un an que tu aurais dû essayer de me retenir, quand je suis partie. Souviens-toi ta nonchalance inqualifiable quand je t'ai annoncé ma décision.

— Je n'y croyais pas.

— Tu n'y croyais pas comme tu n'as jamais cru à ce que je te disais, parce que, tout le temps que nous avons passé ensemble, tu ne m'as jamais prise au sérieux.

— Quand je dis que je n'y croyais pas, je veux dire que je pensais que c'était juste une passade, un jeu, et que tu reviendrais au bout d'une heure.

— Tu croyais ça parce que toi-même tu joues toujours, tu n'as jamais eu de sentiments véritables.

— Mais non, je t'aimais, j'ai cru à un coup de tête.

— Si tu m'avais vraiment aimée, tu aurais cherché à me retenir. Et puis tu n'as même pas cherché à savoir où j'étais, tu ne t'es même pas inquiété. Si je ne t'avais pas appelé, au bout de trois jours, tu ne l'aurais jamais fait, tu étais trop sûr de mon amour.

— J'ai fait une erreur, peut-être, je l'admets, mais c'est parce que sur le coup j'ai été pris au dépourvu, je n'ai pas su comment réagir.

— Dis plutôt que tu n'en as pas eu le temps, tu devais avoir un de tes maudits livres à terminer.

— Ne sois pas injuste, Laurence.

— De toute manière, c'est inutile. Refais ta vie sans moi. Tu es encore jeune, ce sera facile. D'ailleurs, au moment où je te parle, il y a peut-être déjà quelqu'un dans ta vie, quelqu'un dont tu m'as caché l'existence, comme tu m'as caché tant d'autres choses.

— Non, il n'y a personne.

— Vraiment personne?

— Oh! il y a eu des femmes sans importance, des femmes de passage…

— Sur lesquelles tout le monde est passé?

— Non, quand même, je ne suis pas aussi désespéré.

— En tout cas, un jour, tu vas voir que tout ce temps que tu attends, c'était peut-être du temps perdu, du temps que tu ne pourras plus rattraper.

— Tu me l'as déjà dit.

— La vie est courte, et le temps de l'amour aussi.

— Ça aussi, tu me l'as déjà dit.

— Bon, eh bien, je ne me répéterai plus. Au revoir.

Et, sur ce, elle mit en hâte son manteau et me quitta.

2

Le lendemain, je m'éveillai tard, et en fort mauvais état, car, après le départ de Laurence, j'avais vidé la demi-bouteille de cognac qui me restait. J'arrivai très en retard à l'agence, vers deux heures et demie, ayant complètement oublié une assemblée fort importante qui devait avoir lieu en début d'après-midi, justement au sujet du dossier dont j'avais parlé à Laurence la veille.

— Vous enfin! s'exclama mon patron en me voyant arriver. Où étiez-vous passé? Nous avons essayé de vous rejoindre toute la matinée. C'était occupé.

— J'avais débranché.

— Vous avez étudié vos dossiers très tard, la nuit dernière, me dit mon patron avec un sourire entendu. Où l'avez-vous rencontrée?

— Dans mon passé.

— Ah! une ancienne?

— Oui, très.

— Votre femme?

— Oui.

— Je vois. Avez-vous eu le temps de regarder le dossier? Parce que les clients sont là, ils font antichambre depuis quelques minutes. J'aurais aimé pouvoir en discuter un peu avec vous avant. Vous savez que, si nous gagnons ces clients, c'est probablement le plus gros contrat de l'année pour nous.

— Oui.

— Je ne veux pas vous dicter votre conduite mais vous ne trouvez pas que, dans les circonstances, vous auriez tout de même pu faire un effort?

— Si vous saviez les efforts que j'ai pu faire...

— J'espère. Parce que ça fait tout de même un an...

— Un an que quoi?

— Que vous êtes... vous savez, que vous et votre femme...

— Moi et ma femme?

— Bien oui, votre séparation, vous comprenez ce que je veux dire?

— Non, justement, je ne comprends pas.

— Eh bien, depuis un an, vous n'êtes plus que l'ombre de vous-même, personne ne vous reconnaît au bureau.

— C'est vrai que je porte une perruque maintenant.

— Ne plaisantez pas. Ce n'est pas le moment, dit Monsieur Lamontagne.

Car il s'appelle Monsieur Lamontagne, mon patron. J'avais oublié de vous le présenter. Il a les cheveux noirs, justement, mais ils ne lui appartiennent pas, c'est une perruque, et je crois que ma plaisanterie tombait mal. Il éleva le ton, pour me dire:

— Nous avons une rencontre de la plus haute importance et je déplore non seulement votre retard mais aussi votre attitude. Oui, surtout votre attitude. Vous êtes un des plus brillants directeurs que nous ayons jamais eus dans la boîte, vous vous êtes toujours acquitté de vos tâches avec beaucoup de brio, avec une facilité qui, je vous le dis, est le signe de grandes dispositions naturelles pour la publicité...

— Il vient des moments où continuer à jouer devient obscène.

— Obscène, dites-vous? Pourtant, nous avons toujours eu un code d'éthique très sévère et nous n'avons jamais exploité indûment la sexualité.

— Je ne parle pas de la pornographie, je parle de la prostitution.

— Je ne comprends rien à ce que vous dites. Avez-vous bu hier soir?

— Oui.

— Bon, eh bien, peu importe, maintenant c'est fait. Voulez-vous du café?

— Non, merci.

— Ça vous ferait du bien, pourtant. Il me semble que vous n'avez pas les idées claires, ce matin.

— Je vois les choses sous un si drôle de jour, pourtant.

— Probablement parce que vous n'avez pas dormi de la nuit.

— J'aurais aimé ne pas me réveiller, pourtant.

Monsieur Lamontagne, qui ne paraissait guère comprendre et s'impatientait, répliqua:

— Oui, en tout cas, ce que je veux vous dire, c'est que je ne veux pas m'immiscer dans votre vie privée, mais à partir du moment où elle déteint sur votre travail, il me semble qu'elle me concerne et que je peux vous en parler. Ce que je voudrais vous dire, c'est que vous devriez faire un effort. Je ne sais pas dans quelles circonstances votre divorce s'est fait, et je sais que la plupart du temps les divorces sont pénibles, mais il me semble que vous devriez refaire surface, vous ressaisir maintenant. Au début, les premiers mois, c'est normal, tout le monde comprend et accepte qu'on puisse être affecté, que ça déteigne sur le rendement au travail, mais après un an, il me semble... La vie continue...

— Vous trouvez? Je n'ai pas remarqué.

— Mais oui, elle continue, si vous y mettez un peu du vôtre, si vous voulez vraiment. Parce que, actuellement, depuis des mois, nous attendons...

— Ma démission?

— Non, d'ailleurs je ne l'accepterais pas. En tout cas, pas en ce moment. Mais est-ce qu'il y a quelque chose que je puisse faire? Avez-vous besoin d'une augmentation ou de vacances, ou peut-être même d'un congé sans solde?

— Avez-vous une cigarette?

— Oui, me dit-il, visiblement déçu. Bon, vous ne voulez pas en parler, c'est votre droit. D'ailleurs, nous n'en avons pas le temps. Mais je vous le demande pour moi et pour vous aussi, reprenez la situation en main, vous avez un avenir très brillant devant vous dans la publicité, il n'en tient qu'à vous.

— Oui, me contentai-je de répondre.

— Bon, en tout cas, nous avons d'autres chats à fouetter pour l'instant. Avez-vous eu le temps de regarder le dossier?

— Oui, suffisamment pour me faire une idée.

— Nous en aurons besoin de plusieurs, des idées, j'ai l'impression, pour les gagner. Vous savez qu'ils sont parmi les trois plus gros fabricants de savon à vaisselle au Canada?

— Soyez sans inquiétude, j'ai trouvé un moyen infaillible de mousser leur vente.

— C'est une plaisanterie? me demanda avec inquiétude Lamontagne.

— Non.

— Bon, de toute manière, nous ne pouvons plus attendre maintenant. Allons les rencontrer.

— S'ils ne veulent pas venir à la montagne, il faut que Lamontagne aille à eux.

Mon patron esquissa un sourire et dit:

— J'espère que vous allez être un peu plus sérieux.

— Oui, tragique même, si vous le voulez.

— Je ne vous en demande pas tant.

La réunion ne se déroula pas comme prévu. Les résultats dépassèrent les espérances de mon patron. Lorsque les clients eurent quitté nos bureaux, il me dit, extrêmement heureux:

— Vous m'étonnerez toujours, Chagnon. Vous avez été superbe. Ils ont été absolument séduits. Comment avez-vous fait? Vous étiez hilarant.

— C'était triste à pleurer.

— Mais non, voyons.

— Quelle heure est-il?

— Vous ne voulez pas en parler?

— De l'heure?

— Non, du contrat que nous venons de signer.

— Puisqu'il est signé...

— Oui. Décidément, vous n'êtes pas commode aujourd'hui. Si seulement vous aviez un peu de bonne volonté... Ce que nous pourrions construire ensemble... Vous savez, je pense souvent à vous...

— Êtes-vous heureux?

— Heureux? Mais... Mais certainement. L'agence fonctionne bien, nous sommes même en train de faire notre plus grosse année...

— Mais de manière absolue?

— De manière absolue?

— Oui. Dans votre vie...

— Mais oui. Je pense bien. Mais vous, vous n'avez pas l'air très bien. Ce n'est pas dans mes habitudes au travail lorsqu'il n'y a pas de clients, mais, après tout, nous venons de signer un contrat important grâce à vous, puis-je vous offrir un cognac?

— Oui, pourquoi pas? Le cognac ne peut pas me donner plus envie de vomir que la réunion que nous venons d'avoir...

Le visage de mon patron tomba. Il paraissait profondément indigné. Il ne comprenait pas. Sur un ton d'une violence contenue, il déclara, renonçant à me verser un cognac:

— Je crois que vous vous mettez à dire n'importe quoi, et surtout des choses que vous allez très certainement regretter quand vous serez revenu à vous. Parce que je crois que vous ne vous sentez pas très bien. D'ailleurs, j'ai une proposition à vous faire. Pourquoi ne prenez-vous pas quelques jours de repos? La maison vous les offre. Ça vous permettrait de faire le point.

— Je vous remercie, ce ne sera pas nécessaire.

— Ça vous ferait du bien. Je vous le dis, quelques journées pendant lesquelles vous faites le vide...

— Il est déjà assez grand dans ma vie, ce ne sera pas nécessaire, je vous le répète.

— Comme vous voudrez, mais personnellement...

— Personnellement, est-ce que ça vous affecte que votre femme soit frigide?

— Ma femme? Mais elle n'est pas frigide. Et je ne vois pas ce que votre question vient faire dans notre conversation.

— Moi, je ne vois pas ce que la conversation que vous me forcez à tenir vient faire dans ma vie.

— Vous devriez vous reposer, mon vieux, je crois que vous en avez beaucoup besoin.

— Oui, vous avez raison, sans aucun doute. Je vais partir immédiatement.

C'est ce que je fis. Je retournai à mon appartement. J'étais soulagé de quitter l'agence, mon patron, enfin toutes ces choses qui en cet instant incarnaient à mes yeux le comble de... Le comble de quoi, au juste? Je ne le sais pas, je vous laisse imaginer.

Mais je ne me sentis pas soulagé d'arriver à mon appartement. Ce n'était pas le même malaise qu'au bureau, mais il n'y avait nul progrès. Même, il y avait ce qu'il serait convenu d'appeler une très notoire dégradation de mon état psychologique. Véritable quadrature du cercle. Je ne me sentais plus à l'aise dans les deux endroits où je passais presque toute ma vie. Je ne me sentais plus bien nulle part, pour ainsi dire. Peut-être me restait-il à partir, à aller ailleurs. Mais ailleurs, c'est encore quelque part, ne croyez-vous pas?

À vrai dire, je ne m'étais jamais senti aussi seul. Partir, c'est mourir un peu, dit le proverbe. Laurence était partie. Mais il me semblait que c'était moi qui mourais un peu. Et un peu, c'est peu dire. J'étais seul donc, et surtout sans espoir. Et je crois que l'on n'est jamais aussi seul que lorsqu'on est sans espoir. Surtout lorsqu'on n'a plus d'espoir de pouvoir rompre le cercle de sa solitude. De trouver quelqu'un, un autre. Vous me direz que c'est prématuré, à trente-deux ans, de croire ne plus jamais retrouver l'amour, que la vie est pleine de surprises. Oui, vous n'avez pas tort, la vie est souvent pleine de surprises. Trop justement. Parce que ce sont des surprises qu'on n'attendait pas et surtout que l'on aurait évitées si on avait pu. On finit toujours par rencontrer quelqu'un de nouveau, de différent, qui pourra remplacer l'autre, me dites-vous? Mais n'est-il pas possible, au contraire, qu'on n'aime qu'une seule fois et que tout le reste ne soit que mensonge, que tentative d'oublier? Je sais bien que la plupart des gens disent, lorsqu'ils regardent derrière eux, qu'ils n'ont pas vraiment aimé, qu'ils se sont trompés. Eh bien, moi, c'est tout à fait le contraire. J'ai l'impression, la certitude, même, quand je regarde derrière moi, que je ne me suis pas trompé, et, lorsque je songe à mon avenir, j'ai le sentiment que je vais me tromper de plus en plus...

J'allai à la toilette et, en un geste mécanique, j'ouvris la porte de mon officine pour me livrer à une contemplation. Celle de ma superbe panoplie de somnifères. 222, Sominex, Librium, Dormitol, Faites de beaux rêves. Acquisitions récentes, dois-je vous faire remarquer, parce que j'ai toujours été contre tous les moyens artificiels pour trouver le sommeil. En fait, jusqu'à ce que je n'arrive plus à le trouver. Je suis toujours contre, mais je dois compter dessus. J'hésitais pourtant, en cet instant décisif. À quelle combinaison glorieuse allais-je me soumettre ce soir-là? Une Sominex, une Dormitol, une Sominex? Deux 222? Ce qui, je vous le fais observer en passant, a un effet plus puissant encore qu'une 444, si du moins elle existait. Ou bien une Librium seule? Non, pas quelque chose de seul, c'est déjà assez déprimant ainsi.

Non, rien de tout ça, pas ce soir. Je refermai calmement la porte de mon officine. J'allais plutôt noircir quelques pages de mes idées noires. Parce que écrire, c'est comme un somnifère. Moi, en tout cas, ça m'empêche de penser. Lorsqu'on est à la dérive, écrire, c'est un dérivatif. Je m'assis à mon pupitre: pas un traître mot. Je ne m'acharnai pas. Je réfléchis. J'eus une illumination moyennement rapide. J'avais résolu de sortir, d'aller n'importe où. Et n'importe où, pour moi, c'est nécessairement un bar. Pourquoi? Tout simplement parce qu'on y rencontre n'importe qui, qu'on y dit n'importe quoi. Et

j'avais le goût de boire. Énormément. Tout mon saoul.
Tout mon argent.

J'allais avoir une surprise. J'allais faire une rencontre
qui, en d'autres circonstances, eût été anodine, sans
grande importance en tout cas, mais qui s'avéra providentielle. Je sentis que, grâce à elle, tout n'était peut-
être pas perdu avec Laurence, qu'il me resterait une
ultime carte à jouer. Laquelle, me demandez-vous? Mais
vous êtes indiscret! Vous êtes curieux! De voir ma vie
étalée devant vous, mes misères déballées comme des
valises suspectes par un douanier zélé... Mais si le voyage
que je décris, c'était le vôtre, et les valises aussi? Si c'était
vous le voyageur et que je vous suivais pas à pas comme
votre ombre, comme j'ai tenté de suivre mon ombre dans
les dédales de ma nuit?

Mais avant de faire cette rencontre providentielle
dont j'ai commencé à vous parler, j'avais trois heures à
tuer. Car on ne peut pas aller à n'importe quelle heure
n'importe où, c'est-à-dire dans un bar. Mais trois heures à
tuer, c'est long, surtout lorsque... surtout lorsqu'on n'a
rien à faire. J'aurais volontiers appelé au cinéma, tant
j'étais esseulé, mais je craignis une déception. Vous,
n'avez-vous jamais connu cette tristesse d'appeler au
cinéma par pur prétexte, tout simplement pour entendre
une voix de femme, à défaut de celle de votre femme? La
voix peut-être de cette jolie préposée au guichet que vous
avez remarquée la dernière fois, et d'entendre à la place
une voix mécanique, nasillarde, que vous ne pouvez interrompre et qui vous dit: «Ceci est un message enregistré...»

Mais ce livre n'est pas un message enregistré, et la
preuve en est que vous pouvez l'interrompre à tout moment. D'ailleurs, n'est-ce pas ennuyeux de lire? Vous
entendez le téléphone qui sonne? C'est peut-être un ami.

C'est si rare, un ami qui téléphone. Refermez sans hésiter ce livre et tous les autres livres que vous lirez après.

Mais attendez, est-ce que j'hallucine? Je crois entendre le téléphone qui sonne. J'attends depuis si longtemps le téléphone d'une femme, de ma femme, vous vous en doutez évidemment. Mais non, il ne sonne pas. Je crois que je suis en train de développer un véritable complexe du téléphone. Avec mes cinq téléphones, vous deviez déjà avoir une petite idée à ce sujet, ou des doutes, en tout cas. Je souffre peut-être même d'une sorte de névrose. Il faudrait que je consulte un psychiatre. Quoique... il va sûrement me trouver quelque maladie compliquée. Et d'ailleurs, vous ne trouvez pas qu'il est déjà assez déprimant d'être malade et que ce n'est pas nécessaire de le savoir en plus? Moi, il me semble que l'ignorance, dans ce cas, est préférable. Vous n'êtes pas d'accord? Vous dites que la lucidité importe par-dessus tout, que l'inconscience n'est pas une solution? Oui, vous avez sans doute raison. Et votre père est psychiatre en plus? Oh! je vois... Moi, le mien, il est fabricant de souliers. Cordonnier? Non, fabricant, manufacturier. Et, d'une certaine manière, il a fait son chemin dans la vie, avec ces souliers...

Mais il ne peut comprendre les problèmes psychologiques, me dites-vous? Vous avez probablement raison, mais remarquez, par ailleurs, que je ne l'ai jamais consulté sur des sujets d'ordre strictement privé. Vous non plus, d'ailleurs, je le parierais. Ah! vous me dites que vous dialoguez beaucoup avec votre père, que vous parlez avec lui d'autre chose que de la pluie et du beau temps? Vous en avez, de la chance. Mais dites-moi, combien vous a coûté votre billet? Vous ne comprenez pas de quoi je veux parler? Attendez, je m'explique. Oui, je veux dire: votre billet pour le voyage. Et du reste, dites-moi, à pur titre d'information, fêtez-vous Noël sur cette planète? Et le père Noël apporte-t-il des cadeaux aux enfants? Oh! excusez-moi, vous avez un rendez-vous important... Oui, certainement, je comprends, nous reprendrons cette conversation plus tard...

Mais où en étais-je? Il faut que je me rappelle. Ah oui! je parlais du téléphone. Du téléphone qui ne sonne jamais au bon moment. Je ne sais pas si le vôtre est pareil, mais le mien, lorsqu'il sonne, c'est la plupart du temps des appels de gens à qui je n'ai pas le goût de parler. C'est comme les lettres... Tous les matins, quand j'entends le facteur déposer les lettres dans ma boîte, j'ai un petit pincement au coeur. Je ne sais pas si vous êtes comme moi, mais il y a toujours un espoir qui luit, comme un brin de paille dans l'étable... Ce n'est pas de moi, c'est d'un autre... Verlaine, vous connaissez? Oui? Moi, pas vraiment, je le cite au hasard d'une mémoire sans souvenir, mais pas pour vous jeter de la poudre aux yeux, surtout pas... Vous ne pourriez plus lire, alors vous comprenez... Oui, je vous disais qu'il y a toujours en moi, qui s'allume et frémit, un espoir, l'espoir que je viens de recevoir une lettre de ma femme, qui m'annoncera qu'elle a enfin pris la décision de revenir. Une lettre surprenante, impérative, ravissante, qui me dirait ceci: «Je t'attends, ce soir. Passons la nuit ensemble. Je t'aime.»

Mais habituellement, au lieu de trouver une telle lettre que, dans ma fantaisie, j'imagine toujours délicieusement parfumée, je trouve une de ces horribles lettres qui, lorsqu'elles ne sont pas inodores, sentent carrément mauvais et pour cause, elles sont brunes... Brunes... Comme ce que vous pensez... Et ces lettres contiennent invariablement des comptes... Et un compte, lorsqu'en un instant, ayant entendu le bruit caractéristique du facteur, vous venez d'échafauder le conte le plus délicieux, eh bien, c'est franchement déprimant. C'est révoltant même, enfin à mon avis... Qui est peut-être aussi le vôtre... Tenez, par exemple, hier matin, je ne sais pas, peut-être parce que je ne m'étais pas levé du mauvais pied et que je ne m'étais pas ébouillanté en préparant mon café, j'étais de bonne humeur et, même si je ne suis pas superstitieux, c'est drôle, j'ai eu le pressentiment que quelque chose d'extraordinaire allait se passer dans ma vie: une lettre décisive, j'entends. Il se produisit plutôt quelque chose d'extrêmement ordinaire: une autre de ces lettres brunes et qui en plus provenait du gouvernement. De fort mauvais augure, si vous voyez ce que je veux dire. Je n'ai rien contre le gouvernement ni les fonctionnaires, mais je n'ai jamais tenu à entretenir avec eux une correspondance, surtout si ce n'est que pour des réclamations, comme ce fut le cas.

Oui, les lettres, c'est trop souvent comme le téléphone, et d'ailleurs, au moment où je vous parle, vous ne me croirez pas, mais le téléphone sonne justement. Et je dois vous avouer que j'ai ce même petit frémissement dont je vous ai parlé tout à l'heure. Je garde toujours à portée de la main un appareil téléphonique pour apaiser ma hantise de rater un appel. Je laisse tout de même sonner deux coups — mais pas plus —, pour ne pas avoir trop l'air d'attendre un coup de fil, et je décroche.

— Monsieur Pierre Chagnon? Ici Mademoiselle Lisette Tremblay, de la Banque de Montréal.

— Celle qui porte toujours une si jolie petite robe rose avec un collet blanc, des manches bouffantes et une ceinture en crocodile?

— Euh... Enfin, je crois que j'ai effectivement une robe rose mais je ne me rappelle pas l'avoir jamais mise pour travailler...

— C'est un détail, un détail...

— Oui. De toute manière, je vous appelle pour vous aviser que vous avez fait un chèque sans provision et que vous avez jusqu'à trois heures demain pour venir faire un dépôt.

— Je vous remercie infiniment, c'est le seul renseignement qu'il me manquait pour comprendre le sens de ma vie.

— Oui? Eh bien, vous avez jusqu'à trois heures demain.

— Je sais, vous me l'avez déjà dit, mais dites-moi plutôt: voulez-vous m'épouser?

— Je m'excuse, Monsieur Chagnon, mais je ne répondrai pas à cette question.

— Je ne vous demande pas une réponse immédiate. Réfléchissez bien. Parce que comme nous divorcerons probablement l'année prochaine et que les frais de cour sont assez élevés, faites quelques calculs. Mais ça ne vous sera pas trop difficile, j'imagine, puisque vous travaillez dans une banque. D'ailleurs, à ce sujet, j'avais pensé que nous pourrions faire ensemble un petit vol discret pour payer notre voyage de noces. Qu'en pensez-vous?

— Je m'excuse, Monsieur Chagnon, je dois reprendre mon travail.

— Mais Mademoiselle, écoutez-moi...

Elle ne m'écouta pas. Vous voyez comme sont les gens... Vous leur promettez la lune, et ils vous la refusent... Oui, il faut dire que je n'ai peut-être pas dit exactement les paroles qu'il aurait fallu... Mais parfois, moi, dans la déception, j'ai le goût de dire n'importe quoi, ça me soulage... Je ne sais pas si, pour vous, c'est la même chose... De toute façon, ce téléphone, ça vient seulement prouver ce que je vous disais... C'est une drôle d'invention, une invention à laquelle je suis allergique mais dont je ne peux me passer... Oui, le téléphone et les lettres, du pareil au même, neuf fois sur dix. Mais je sens que je vous ennuie... Nous sommes loin de notre sujet original qui n'est d'ailleurs peut-être pas si original, à la réflexion, puisque c'est l'histoire de tout le monde. Vous vous sentez dépaysé, j'en ai le sentiment. Je continue donc. Mais on vient de frapper à la porte. Ce qui m'intrigue considérablement puisque je n'attends personne et que, je ne sais trop pourquoi, peut-être parce que je ne donne pas mon adresse à mes amis, je ne reçois à peu près jamais de visite impromptue. Mais peut-être est-ce Laurence? Ce serait inespéré, et contraire à ses habitudes, du moins à celles qu'elle a contractées depuis un an. Quoique... attendez, je me rappelle soudain... Ne m'a-t-elle pas dit, un jour: «J'aimerais que nous devenions assez amis pour pouvoir arrivez chez toi sans avis, à l'improviste, à n'importe quelle heure, pour que nous bavardions ensemble, comme frère et soeur...» C'était bien sympathique, sauf le dernier bout... «Frère et soeur»... Je n'ai strictement rien contre la famille, mais entre amants, je trouve que les sentiments familiaux ont quelque chose de déplacé ou en tout cas qui ne me remue pas beaucoup... Si c'est elle, elle a quand même changé d'idée rapidement, un changement que rien ne laissait entrevoir au cours de notre dernière conversation, si vous vous rappelez.

On frappe à nouveau. Je me lève et je vais ouvrir. Mauvaise surprise dont l'auteur va passer un mauvais quart d'heure. L'auteur, ou plutôt les auteurs, car il s'agit de deux femmes dans la soixantaine, d'allure sinistre, mais sans excès. Elles sont anglaises. L'une d'entre elles prend la parole pour me dire:

— *It is for school election, would you please give me your name?*

— Mao.

— Mao? *Oh, it is unusual, but nice. Don't you think, Mary?* dit-elle en se tournant vers sa compagne qui acquiesça avec un sourire complaisant. *How do you spell it?*

— Je ne l'épelle jamais, Madame.

— *Oh, I see. But could you write it down?*

— Non, Madame, cela m'est totalement impossible. Regardez de quoi a l'air ma main, dis-je en lui tendant une main rigide et tremblotante.

— *Oh, I am sorry. It is an accident?*

— Oui, Madame, *an accident* comme vous dites, quand j'étais très jeune, dans une rizière, un crocodile...

— Un crocodile?

— *Yes, an alligator.*

— *Oh,* dit-elle en une grande exclamation effrayée, *it is terrible.*

— *Yes,* Madame, mais j'ai été chanceux. Il a avalé mon frère en entier.

— *Your brother?*

— Oui, *my brother, no more, in the deep throat of the alligator.*

— *Oh, it is unbelievable.*

— En effet, Madame. Et pour me débarrasser de vous, je vais finalement essayer de vous l'épeler, mon nom. M comme dans manger l'alligator. A comme dans assassiner. Et O comme dans organe.

— *Oh, I see. Organ. You like religious music?*

— Oui, Madame, j'aime beaucoup les organes, surtout lorsqu'ils sont sexuels. Mais ne me demandez pas d'aimer les vôtres.

— *Oh, I see.*

— Vous en voyez, des choses. Seriez-vous voyante?

— *I don't understand...*

— C'est sans importance...

— *I see. So* Mao *is your first name?*

— Oui, c'est le premier nom qui m'est venu à l'esprit.

— *And your second name?*

— Tsé.

— Tsé?

— *Yes,* Madame, *like the fly.*

— *The fly?*

— Oui, la mouche tsé-tsé. *The Tse-tse fly.*

— *Oh, I see. Is that all?*

— *No, I got a third name also.* Tung. Mao Tsé-Tung.

— *And your occupation?*

— La fabrication de bombes.

— *I beg your pardon?*

— Je suis mécanicien, Madame. Vous savez, les moteurs, ça tourne. Eh bien moi, je m'occupe de leurs révolutions. Je suis un révolutionnaire, si vous voulez.

— *You are working in motor cars?*

— Oui, si vous voulez.

— *And are you single?*

— Oui, Madame, je suis très singulier, et je m'en flatte.

— Et la religion? *Catholic or protestant?*

— Je ne le suis pas, mais écrivez protestant. Le terme m'est sympathique.

— *And your age?*

— Trente-deux ans, *Is that all?*

— *Yes.*

— Eh bien, ce n'est pas trop tôt, Madame, et vous allez m'excuser immédiatement. Je ne vous félicite pas d'exister, mais je vous dis merci.

— *He is charming, absolutely charming,* dit-elle à sa compagne comme je refermais la porte avec soulagement.

Vous voyez comme sont les gens. Vous êtes aimable avec eux et ils vous méprisent. Vous les insultez et ils vous remercient béatement.

Mais je reviens enfin à notre histoire, au sujet de ma rencontre. Parce que je sens que je vous fait trop de confidences, je m'attendris sur mon propre sort. Et cette complaisance, sans doute, vous irrite-t-elle. Et je ne vous le reprocherai pas. N'avez-vous pas vous-même observé, lorsque vous racontiez votre histoire à un ami, son ennui, que masquait à peine sa politesse? D'ailleurs, votre téléphone ne sonne-t-il pas à l'instant? Allez, n'hésitez pas. C'est sûrement un ami. Ayez la gentillesse d'écouter son message enregistré. Ne l'interrompez pas. Après, seulement, vous pourrez lui communiquer votre message. Et si vous vous ennuyez trop, vous pouvez tricher un peu. Après tout, vous n'êtes pas un saint. Faites semblant de rien, laissez tomber des oui à intervalles réguliers et reprenez votre lecture. Les histoires des autres ne nous intéressent jamais.

Cette rencontre, vous disais-je, fut, d'une certaine manière, providentielle. C'est du moins ce que je crus au début. C'était cette employée de l'agence, qui avait démissionné il y a de cela deux ans maintenant et au sujet de laquelle il y avait eu avec ma femme toute une histoire. Vous vous souvenez? Je ne l'avais pas revue depuis. Et pourtant, je la reconnus aussitôt. Elle n'avait guère changé. Imaginez une femme assez petite, un visage rond, un petit nez très fin, des yeux bleus et des cheveux courts avec un toupet taillé de manière circulaire. Ce n'était pas ce qu'on peut appeler une beauté, dans le sens d'une beauté classique, mais moi, personnellement, je la trouvais très piquante avec ses yeux pétillants et sa petite bouche peinte en rouge et souvent plissée d'une moue très amusante. Vivante, en un mot, en tout cas plus, justement, que ces beautés classiques souvent un peu froides presque funèbres.Je n'avais jamais couché avec elle, je n'aurais pas pu dire de quoi elle avait l'air une fois déshabillée, mais je sais qu'elle savait s'habiller. Avec beaucoup de fantaisie. Des colliers, des foulards, des bracelets. Des couleurs très vives.

Dès que je l'aperçus, une idée germa dans ma tête. En faire ma maîtresse. Cette idée, dois-je vous l'avouer, n'avait rien de désintéressé. C'est que je voulais que, une fois devenue ma maîtresse, elle rendît Laurence jalouse. C'était ça, ma dernière carte. C'est insensé, vous croyez? Mais lorsqu'on en est réduit à certaines extrémités, on ne peut plus faire la fine bouche sur les moyens. Seul obstacle, mais de taille: ma timidité avec les femmes, qui prend souvent des proportions démesurées, me porte à poser des actes inattendus et souvent contraires, malheureusement, surtout avec celles qui me plaisent. Ceci dit d'une manière générale et abstraite car il me faut faire une petite mise au point: dans mon état, aucune femme n'était susceptible de m'intéresser, et même, je puis dire qu'à proprement parler je ne voyais même pas les femmes. Tout simplement parce que, depuis que je ne voyais plus ma femme, je ne *voyais* plus qu'elle.

Mon plan arrêté, il ne me restait plus qu'à le mettre à exécution. Mais ma timidité m'arrêtait. Ce ne fut heureusement pas un obstacle majeur. Car Mariette — c'était son nom — m'avait aussi aperçu, et reconnu après un moment d'hésitation. Elle vint à moi.

— Pierre! s'exclama-t-elle, si je pensais te revoir, si longtemps après... Ça fait combien de temps, deux ans au moins?

— Oui, à peu près... Mais qu'est-ce que tu deviens depuis?

— Je me suis mariée, je me suis divorcée, et maintenant je suis retournée sur le marché.

— Le marché du travail?

— Non, le marché de l'amour.

— Ah bon! je vois.

— Et toi?

— Je suis divorcé, moi aussi.

— Ah! et c'est récent?

— Un an.

— Tu vis seul, maintenant?

— Oui.

— Moi aussi. Tu travailles toujours à l'agence?

— Si on peut appeler ça travailler, oui. Et toi?

— Je travaille à la pige. C'est intéressant.

— Je suis content pour toi.

La conversation se poursuivit ainsi pendant une heure environ.

J'ai dit, peu avant, que j'avais résolu de faire de Mariette ma maîtresse. C'est ce qui ne tarda pas à advenir. Ou, pour être plus exact, c'est plutôt elle qui fit de moi son amant. En effet, elle me fit boire du cognac qu'elle insista pour m'offrir malgré mes réticences, elle m'invita à boire un café chez elle, et me déshabilla. Je me chargeai du reste. Ce ne fut pas très agréable. Ce fut pénible, même. Non pas parce que Mariette ne fût pas belle ou fût maladroite. Elle avait de fait un corps ravissant, des seins roses comme des colombes et des cuisses amicales et pleines de conviction. Et elle manifesta une tendresse et une ardeur irréprochables. Mais, pour la première fois de ma vie, j'avais l'impression non pas de faire l'amour avec une femme, mais contre elle, littéralement. Curieusement, il me semblait que Mariette était responsable de l'échec de tout mon mariage, de ma rupture avec Laurence. Sans doute n'était-ce pas totalement faux, mais le sentiment de mépris et la volonté de vengeance que j'éprouvais n'avaient aucune mesure avec sa faute.

Notre étreinte me parut d'autant plus douloureuse que l'image de Laurence ne me quitta pas un instant. Pourtant, le lendemain matin, au réveil, je demandai à Mariette:

— Est-ce qu'on fait un petit bout de chemin ensemble?

— Pourquoi pas? dit-elle en souriant.

L'halloween allait avoir lieu trois jours plus tard. Un projet singulier avait pris naissance dans mon esprit, qui me permettrait de manière idéale de mettre à exécution mon dessein de rendre Laurence jalouse. Inviter Laurence, son amant et Mariette, à une soirée costumée dont je serais l'hôte. Mariette, à qui je ne révélai pas l'identité des invités que j'entendais accueillir, accepta sans hésitation, très amusée à l'idée de se composer un déguisement. Il me restait à convaincre Laurence, et, elle, son amant, sans aucun doute. J'appelai Laurence le soir même.

— Laurence?
— Oui.
— C'est moi, Pierre...

C'est sans doute banal comme début de conversation, et un bon romancier eût sans doute supprimé une telle entrée en matière parce qu'il l'eût jugée superflue. Mais si vous saviez quelle émotion j'éprouvais à prononcer le simple nom de Laurence, combien d'infinies résonances il avait en moi, alors vous comprendriez que la banalité qu'il peut y avoir en soi à entamer ainsi un dialogue, eh bien je m'en fous éperdument...

— Oui, je savais, répliqua Laurence d'une voix dont l'expression froide ne me plut guère.

— Tu savais que j'allais t'appeler?

— Non, j'avais reconnu ta voix.

— Ah bon! Je croyais…

— Est-ce que ça va bien?

— Oui.

— Tu t'es bien remis de notre dernier souper?

— Oui, et toi?

— Moi aussi. Mais pourquoi est-ce que tu m'appelles? dit-elle presque durement, en tout cas d'une manière qui ne me parut guère sympathique.

— Je voulais t'annoncer une nouvelle, répliquai-je promptement.

— Tu as démissionné?

— Non, j'ai rencontré quelqu'un…

Il y eut un silence au bout de la ligne.

— Laurence? Es-tu là?

— Je suis très contente pour toi. Et toi, tu dois être content, j'imagine, d'avoir enfin rencontré quelqu'un.

— Oui.

— Je te l'avais dit que ça arriverait, que ce n'était qu'une question de temps. D'ailleurs, je vois que tu n'as pas perdu ton temps depuis la dernière fois que nous nous sommes vus.

— Qu'est-ce que tu veux dire par là?

— Tout simplement qu'il y a à peine deux jours tu ne cessais de me répéter que toutes les tentatives que tu pourrais faire seraient inutiles, que tu ne rencontrerais jamais quelqu'un.

— Je n'avais pas tort, l'interrompis-je.

— Qu'est-ce que tu dis? me demanda Laurence qui ne m'avait pas compris ou feignait de ne l'avoir pas fait.

— Rien.

— Tu n'as pas dit que j'avais tort?

— Non.

— En tout cas, c'est toi qui avais tort, tu vois bien, et ton amour et tes histoires, tu vois bien que ce n'était qu'un paquet de mensonges, dit-elle avec une certaine violence.

Une violence qui ne manqua d'ailleurs pas de me surprendre. Ce dont je lui fis part.

— Ça m'étonne, ce reproche si soudain.

— Ce n'est pas un reproche, c'est simplement une constatation.

— De toute manière, je vois que j'ai fait une erreur.

— Avec cette femme, parce que j'imagine que c'est une femme que tu as rencontrée.

— Oui, je te confesse que je suis encore très traditionnel à ce sujet, mais l'erreur, c'est de t'en avoir parlé.

— Mais non, pas du tout, pourquoi dis-tu ça?

— À cause de ta réaction. Je vois bien que ça te choque que je t'aie dit que j'ai rencontré quelqu'un.

— Non, pas du tout. Et dis-moi donc, est-ce que c'est sérieux?

— C'est récent.

— Je ne te demande pas ça, je demande si c'est sérieux.

— Toi, avec ton ami, est-ce que c'est sérieux?

— Oui, dit Laurence avec une sorte de bravade, triomphante presque.

— Ah! c'est nouveau, il me semblait que ce ne l'était pas. Il y a eu des changements depuis notre dernière conversation?

— Oui, dit Laurence, toujours avec le même accent que précédemment, avec peut-être plus d'insistance encore. Il y a eu des changements.

— Et qu'est-ce qui est arrivé?

— Il est arrivé qu'il est follement amoureux de moi et que moi aussi je l'aime, parce qu'il s'intéresse vraiment à moi, parce que, quand je suis à côté de lui, je sens que j'existe, parce qu'il m'écoute quand je lui parle et parce qu'il me répond. Parce que, quand nous avons fini de faire l'amour, il ne me tourne pas immédiatement le dos, pour s'endormir.

— C'est un insomniaque?

— Non, c'est quelqu'un qui m'aime, et qui passe des heures à me regarder et à me parler quand nous avons fini de faire l'amour.

— Pour essayer de t'expliquer pourquoi il a raté son coup?

— Non, il fait très bien l'amour, si tu veux le savoir.

— Je ne veux pas le savoir.

— Moi, est-ce que je peux savoir ce qu'elle fait?

— Rien.

— Rien?

— C'est-à-dire que, quand nous avons fini de faire l'amour, elle ne passe pas seulement des heures mais des jours entiers à me regarder. Alors, ça ne lui laisse plus beaucoup de temps pour faire autre chose.

Pour toute réponse, Laurence raccrocha brutalement. Plein de remords, je la rappelai aussitôt, appréhendant qu'elle ne répondît pas. À tort, car, au bout de trois coups de sonnerie, elle décrocha.

— Je m'excuse, Laurence, j'ai été stupide de plaisanter ainsi. Je ne sais pas pourquoi, d'ailleurs.

— Parce que tu ne m'as jamais aimée, ou plutôt, ce qui est pire, parce que tu n'as jamais eu aucune considération pour moi. Tu n'as jamais estimé que j'étais une personne, avec ses idées, ses aspirations, ses besoins.

— Tu exagères, là…

— De toute manière, nous ne reviendrons pas là-dessus, nous en avons assez longuement discuté déjà, et de manière stérile. Mais dis-moi, pourquoi m'appelais-tu?

Pour m'annoncer cette nouvelle?

— Non. Je voulais t'inviter pour le soir de l'halloween, ton ami et toi, à une soirée costumée.

— Une soirée costumée?

— Oui, chez moi.

— Et ta nouvelle amie sera là, évidemment?

— Oui. On va faire un petit souper intime, à quatre, entre amis.

— Jacques n'acceptera jamais.

— Il a peur de m'affronter?

— Il n'aime pas les drames, tout simplement.

— Je ne vois pas pour quelle raison il y aurait un drame à craindre, à cette soirée.

— Parce que c'est ce que tu cherches à provoquer, de toute évidence.

— C'est un procès d'intention?

— Non, c'est de la logique, tout simplement.

— Je ne suis pas d'accord. Je trouve que cette réunion pourrait avoir un côté positif...

— Oui, mais surtout si elle n'a pas lieu.

— Ça nous permettrait de régler notre problème de couple une fois pour toutes, peut-être.

— Il est déjà réglé.

— Ah! Je vois... Pour toi, peut-être, mais pas pour moi... Ça m'aiderait...

— Tu ne penses évidemment toujours qu'à toi.

— Ça m'aiderait, je te le demande comme une dernière faveur.

— Ça fait beaucoup de dernières faveurs que tu me demandes, ces temps-ci.

— Oui, peut-être, mais cette fois-ci ce sera vraiment la dernière. Et puis, de toute manière, puisque tout est clair dans ton esprit et que tu ne m'aimes plus, je ne vois pas le danger qu'une telle soirée peut représenter.

Laurence ne répliqua rien.

— Et en acceptant mon invitation, repris-je, ce sera une preuve pour moi que tu ne m'aimes plus et que tout espoir est inutile.

— Ta logique est absurde.

— Dans quel sens?

— Tu le sais mais...

— Mais quoi?

— J'accepte.

— Tu acceptes? C'est vrai?

— Oui, c'est vrai. Si tu crois que...

— Oui, je crois.

3

La perspective de cette très singulière soirée costumée m'angoissa plus que je ne l'avais appréhendé, pour dire vrai. C'est qu'en la concevant je ne m'étais pas arrêté sur les détails ni surtout sur les inconvénients possibles. Ces désavantages m'apparaissaient de manière de plus en plus évidente. Comment réagirait Laurence? Et son ami? Et moi-même en le voyant?

Pour les circonstances, j'avais emprunté à mon père son cuisinier, Émile, qui était aussi son valet et qui allait assurer le service.

Mariette arriva la première. Elle s'était déguisée en princesse des *Mille et Une Nuits*. Des vêtements très amples, en satin, très colorés, des pierres et des épingles dans les cheveux, et le visage voilé, ce qui me parut inespéré. Je m'étais, pour ma part, déguisé en officier. Je portais un uniforme qui appartenait à mon père et dont il s'était servi anciennement.

En voyant arriver Mariette qui ne se doutait guère de ce qui l'attendait — pour la simple et bonne raison que je ne l'avais pas avisée que nos invités seraient ma femme et son ami —, j'éprouvai un remords. Pourquoi lui imposais-je une chose de la sorte? Je n'avais pas de raison de lui en vouloir, en tout cas pas à ce point.

Elle était belle, plus qu'à l'accoutumée, peut-être en raison de la fantaisie de son déguisement. Jugement purement abstrait, désintéressé, si je puis dire, car jamais je ne l'avais moins désirée que ce soir-là. Jamais je n'avais senti autant que ce soir-là qu'elle était une étrangère, et aussi une sorte d'instrument. Je ne pensais qu'à Laurence. En arrivant, Mariette me sauta au cou, exaltée.

— Moi, les fêtes costumées, j'aime tellement ça... Je crois que j'ai toujours gardé un côté petite fille... Et les déguisements, je ne sais pas, ça me fait redevenir enfant.

— C'est possible de redevenir enfant? demandai-je avec une gravité qui ne manqua pas de surprendre Mariette.

— D'une certaine manière, oui, je crois. En tout cas, dans notre tête. Et c'est là que c'est le plus important d'être enfant.

— Tu crois?

— Oui. Enfin, je ne sais pas trop mais peu importe. Dis-moi plutôt si tu aimes mon déguisement Ali Baba, dit-elle en esquissant quelques pas de danse.

— Il est extrêmement érotique.

— Non, sérieusement, comment le trouves-tu?

— Je l'ôterais immédiatement.

— Il ne te plaît pas?

— Non, au contraire, justement.

— Le tien aussi n'est pas mal. C'est un vrai habit de soldat?

— Oui, d'officier de l'armée de terre.

— Et il y a un vrai pistolet dans cet étui que tu portes à ta ceinture?

— Oui, naturellement.

— Et il est chargé?

— Évidemment.

— Pour de vrai?

— Puisque je te le dis. Avec six balles très rouillées mais très efficaces.

— Six balles véritables?

— Oui, une pour chaque invité véritable, dis-je le plus sérieusement du monde.

— Pierre, tu me fais un peu peur quand tu parles ainsi. J'ai l'impression que tu es sérieux et que ce que tu dis est vrai.

— Mais je suis toujours sérieux. Et puis n'est-il pas naturel qu'il y ait pour chaque invité une balle dans un bal costumé?

— C'est de très mauvais goût, Pierre, et surtout ce n'est pas de circonstance. Je ne vois pas pour quelle raison tu fais ces plaisanteries.

— Sais-tu au moins pourquoi tu es ici? lui demandai-je un peu brutalement.

— Oui. Enfin je crois... C'est un bal masqué... Nous sommes ici pour nous amuser.

— Tu crois vraiment qu'on puisse s'amuser dans un bal?

— Je ne sais pas... Et puis tu commences à m'inquiéter. Qu'est-ce que tu as, ce soir? Tu n'es pas comme d'habitude.

— Tu trouves?

— Oui. Est-ce que tu as eu des contrariétés au travail?

— Aucune.

— Avec les invités?

— Lesquels?

— Je ne sais pas. Est-ce qu'il y a des invités qui se sont décommandés à la dernière minute?

— Oui, la moitié.

— La moitié? Mais c'est énorme! Et c'est évidemment ça qui te contrarie.

— Non.

— Non?

— Je ne les avais pas invités.

— Tu te moques de moi?

— Non. Et d'ailleurs, je n'avais que six balles dans mon pistolet. Cela aurait posé un problème d'artillerie. Ou en tout cas un délicat problème d'éthique. Quelle tête faire tomber en premier? La question n'est pas facile à trancher, si je puis dire.

— Pierre, je t'en prie, tu es morbide. Qu'est-ce qu'il y a qui ne va pas? Est-ce que tu préfères que je m'en aille? Tu n'es pas content de me voir ici? Ou j'ai fait quelque chose qui te déplaît?

— Tu n'as rien fait. Tu n'as absolument rien fait.

— Alors, qu'est-ce qu'il y a? Tu me caches quelque chose, je le sens. Ne me laisse pas ainsi dans le doute.

— Tu te fais des idées.

— Je n'ai pas l'impression. Et les invités, au fait, où sont-ils? Est-ce que je suis en avance?

— Si tu savais comme tu es en retard...

— Je suis en retard? Mais tu ne m'avais pas dit neuf heures?

— Oui.

— Mais quelle heure est-il?

— Neuf heures dix.

— Alors?

— Est-ce que tu t'es déjà demandé ce que ta vie aurait pu être si les circonstances et les hasards avaient été autres? Est-ce que tu t'es déjà demandé si ta vie aurait été changée, par exemple, si tu avais rencontré quelqu'un d'autre que ton mari?

— Elle n'aurait pas changé.

— Non?

— Non, parce que sa rencontre n'a pas changé ma vie.

— Et pourquoi vous êtes-vous mariés, alors?

— Nous croyions nous aimer.

— Et pourquoi vous êtes-vous séparés?

— Nous nous sommes aperçus que nous nous étions trompés.

— Vous vous disputiez?

— Non. Seulement au sujet de l'argent, parfois...

— Et pour le reste?

— Rien.

— Rien?

— Oui, absolument rien. Pas d'accrochage, pas de dispute. Le silence absolu...

— Des espaces infinis...

— A fini par nous effrayer, en effet. Nous avons été parfaitement d'accord sur un point, en tout cas, c'est que notre mariage était tout simplement un malentendu.

— Nous en sommes tous là, tu ne crois pas?

— Non, je ne crois pas.

Mariette s'interrompit alors, comme prise d'une tristesse soudaine.

— Tu as l'air triste, lui dis-je.

— Peut-être parce que pendant un moment, le temps d'une illusion, nous avons cru nous aimer...

— Tu ne crois pas plutôt qu'à ce moment-là vous vous aimiez vraiment...

— Je ne sais pas.

— C'est court, l'amour. Toi, combien de temps as-tu aimé le plus longtemps? Trois semaines? Un mois?

— Beaucoup plus que cela.

— Je parle d'une rencontre véritable entre deux êtres, d'un amour réciproque. Combien de temps penses-tu qu'un homme puisse tenir véritablement la main d'une femme avant que la vie ne lui fasse prendre un chemin différent?

— Je ne sais pas. Et de toute manière, la réciprocité est peut-être un luxe dont il faudrait apprendre à se passer.

— La vie s'en charge, de toute façon.

— Moi, je n'ai pas perdu espoir. Ce qui me rend triste, quand je pense à mon mari, c'est la chance d'aimer que j'ai laissée passer. Mais c'était inévitable...

— Et pourquoi?

— Parce que je crois qu'au fond je l'avais épousé comme on décide de prendre des vacances. Je crois que je voulais me reposer de l'amour, provisoirement. Je me savais en sécurité avec lui. Je savais que j'étais peu susceptible de tomber en amour.

— Tu ne viens pas de me dire que, un temps au moins, tu avais cru l'aimer?

— J'avais fait un effort pour le croire, pour m'en convaincre, sans doute pour justifier à mes yeux mon mariage, pour lui donner un sens. Dans le fond, je crois que je voulais réserver mon amour pour un autre homme.

Puis, se ressaisissant soudain et changeant brusquement de ton, Mariette déclara, d'une voix légère et amusée:

— Mais je ne vois pas pour quelle raison je te raconte toutes ces choses. C'est un soir de fête après tout. Il faut s'interdire de parler de choses tristes.

— Oui, je suis bien d'accord. Mais un dernier détail: de quoi avais-tu l'air, il y a six ans?

— Plus jeune.

— Évidemment.

— J'étais plus grasse, aussi, mais j'ai perdu un amoureux et j'ai perdu neuf livres. Je n'ai retrouvé ni l'un ni les autres.

— L'amour a encore une utilité.

— Les peines d'amour, en tout cas. Mais toi, de quoi avais-tu l'air, il y a six ans?

— D'un homme qui était sur le point de se marier.

— Et de quoi ça a l'air, un homme qui est sur le point de se marier?

— Nous avons convenu qu'il fallait s'interdire de parler de choses tristes.

— C'est exact, excuse-moi, dit Mariette en souriant.

Il y eut un silence. Mariette s'avança alors dans l'appartement, ôta son manteau puis s'assied.

— C'est joli, ton appartement, commenta-t-elle. Est-ce que ça fait longtemps que tu habites ici?

— Une éternité.

— Tu en as assez? Tu as l'intention de déménager?

— Jamais, dis-je assez catégoriquement.

— C'est vrai que c'est joli, dit Mariette qui paraissait surprise par la vivacité de ma réplique.

— Est-ce que tu prendrais un apéritif?

— Volontiers.

J'appelai Émile. Il ne tarda pas à arriver. Je lui dis, le plus sérieusement du monde:

— Émile, je voudrais vous présenter ma future femme. Nous en sommes arrivés tous deux à la conclusion que l'amour n'existait pas. Nous avons d'abord songé à un suicide commun. Puis nous avons pensé à une solution plus élégante, plus discrète en tout cas, et nous avons décidé de nous marier. Cela revient au même, me direz-vous...

— Je n'osais pas vous le dire, Monsieur, dit Émile.

— Vous avez eu tort, il faut toujours oser.

— Je...

— Vous?

— Je vous félicite, en tout cas, je vous souhaite… dit Émile.

— Oui, c'est très bien, c'est inutile de vous acharner. Vous allez nous apporter deux kirs pour que nous fêtions ça.

— Très bien, Monsieur, dit Émile qui se retira aussitôt.

— Ta prévenance me touche, Pierre, dit Mariette d'un ton faussement poli.

— Je vais faire preuve de prévenance une fois de plus. Est-ce que tu veux m'excuser d'avance pour tout ce qui va se passer ce soir?

— Qu'est-ce qui va se passer, ce soir? Tu me fais peur.

— Est-ce que tu me pardonnes à l'avance?

— Je ne comprends rien, Pierre. Pourquoi me demandes-tu ça?

— Je ne peux rien te dire.

— Pourquoi?

— Je ne le sais pas moi-même.

— Tu le sais. Et si tu ne me le dis pas tout de suite, je m'en vais. Je ne resterai pas ici dans de telles conditions.

— Tu dois rester, maintenant, le vin est tiré. Et il arrive, dis-je en apercevant Émile.

Ce dernier arrivait en effet et me dit:

— Si je peux me permettre, Monsieur, voici le kir que vous m'avez demandé.

— Posez les verres sur la table et ne nous dérangez pas, nous sommes en train de fixer les modalités de notre divorce.

— Mais je croyais que vous n'étiez pas encore mariés.

— Nous ne le sommes pas, mais tout simplement nous ne voulons pas nous engager dans le mariage à la légère, sans prendre nos précautions.

— Vous avez parfaitement raison. Les choses vont si vite, de nos jours. Je reste à votre disposition.

— Ne vous éloignez pas trop. J'aurai besoin de vous sous peu.

— Entendu, Monsieur, dit Émile qui tourna les talons et s'éloigna lentement.

— La plaisanterie a assez duré. Je ne reste pas, jeta sèchement Mariette en se levant. J'appelle un taxi.

— C'est inutile, le téléphone est en dérangement.

— Je n'en crois rien, dit Mariette qui se dirigea vers l'appareil téléphonique du salon. J'appelle un taxi.

— C'est inutile, je te le dis. Tu vois bien? lui dis-je alors qu'elle s'acharnait à obtenir la communication. C'est mort. D'ailleurs, tu n'as qu'à demander à Émile, il va te le confirmer.

Et comme elle ne le lui demandait pas, je m'adressai moi-même à lui pour lui dire:

— Émile, le téléphone est en dérangement?

— Oui, Monsieur, me répondit-il mécaniquement, j'appelle immédiatement pour voir de quoi il s'agit.

— Non, c'est inutile, je viens moi-même de téléphoner.

— Ah! dans ce cas-là… dit Émile.

— Dans ce cas-là, dit avec détermination Mariette, je m'en vais.

— La porte ne s'ouvre pas de l'intérieur sans clé, dis-je. N'est-ce pas, Émile?

— C'est exact, Monsieur.

— Qu'est-ce que c'est que cette histoire-là, demanda Mariette qui s'empressa vers la porte et tenta en vain de l'ouvrir. C'est illégal. C'est une séquestration.

— Mais non, tu sautes vite aux conclusions.

— Je veux m'en aller. Et j'exige qu'on m'ouvre immédiatement la porte, sinon je crie.

— Tu peux crier, c'est inutile. J'ai prévenu mes voisins qu'il y aurait ici, ce soir, la répétition générale d'une pièce de théâtre et que, par conséquent, il y aurait beaucoup de bruit, des cris, des coups de feu...

— Des coups de feu? demanda Mariette qui s'alarma et jeta un regard rapide vers mon pistolet. Alors, ce n'était pas une plaisanterie, le pistolet chargé?

— Je ne plaisante jamais avec les armes.

— Je veux sortir. Je pense que tu as perdu la tête. Je ne sais pas où tu veux en venir, mais, encore une fois, je te le dis, j'exige que tu me laisses partir immédiatement.

— Tu vas plutôt venir t'asseoir calmement, tu vas boire ton kir, ça va te faire du bien.

— Je n'ai pas envie de boire.

— Ça n'a jamais été nécessaire pour boire.

— Sois aimable, me demanda-t-elle d'une voix très douce. Rassure-moi. Ça ne m'amuse pas beaucoup, cette petite mise en scène.

— Moi non plus.

Et je la considérai assez longuement en silence.

— Alors, pourquoi? me demanda-t-elle.

— Parce qu'il le faut. Bois.

— Oui, c'est une idée. À quoi allons-nous boire?

— À notre mariage?

— À notre divorce, plutôt, on a moins de chances de boire inutilement.

— C'est exact.

Elle ne but pas tout de suite mais me demanda plutôt:

— Pourquoi m'as-tu posé des questions au sujet de mon mariage?

— Pour rien.

— Ce n'était pas plutôt parce que tu t'en posais au sujet du tien?

— Non.

— Est-ce que tu crois que j'ai pu être pour quelque chose dans la décision de ta femme de te quitter?

— Non. En aucune manière.

— En es-tu si sûr?

— Oui.

— Et pourtant, j'ai appris que, le lendemain de la fameuse fin de semaine, ta femme avait appelé au bureau et avait parlé à la téléphoniste, qui est une de mes amies et qui connaît assez notre histoire.

— Il n'y a jamais eu d'histoire entre nous.

— Laisse-moi terminer. La téléphoniste m'a dit que ta femme avait appelé et qu'elle a paru très bouleversée lorsqu'elle a appris que je venais de démissionner.

— Ce sont de pures suppositions, des interprétations absolument gratuites.

— Elle l'a su pourtant, au sujet de notre histoire. C'est toi-même qui me l'as dit, le dimanche soir, au téléphone. Je ne suis pas folle, quand même.

— Je viens de te dire qu'il n'y a jamais eu d'histoire entre nous. C'est clair?

— C'est très aimable de me le répéter. Mais tu sais bien que c'est faux. Je sais que tu as failli partir avec moi, mais que ce n'est que par lâcheté que tu es resté avec ta femme.

— Pas par lâcheté, par amour.

— Tu m'as dit que tu ne l'aimais plus et que ce n'était que par attachement pour elle que tu ne pouvais pas partir, pour ne pas lui faire de peine.

— C'était pour ne pas te faire de peine, à toi.

— Ou à toi.

— Non.

— Est-ce que tu m'as fait venir ici ce soir pour te venger?

— Me venger de quoi?

— De ta rupture avec ta femme?

— Non. Je te l'ai dit, tu n'y étais pour rien. Et puis qu'est-ce que ça me donnerait de me venger, maintenant? Il est trop tard.

— En effet, et c'est du passé.

— Buvons donc à l'avenir. Mais avant, dis-moi. Toi, malgré ce que je viens de te dire, dis-moi sincèrement, est-ce que tu m'as déjà aimé?

— C'est une drôle de question. Après ce que tu viens de me dire...

— Oui, je sais, mais c'est important. Essaie de faire abstraction de ce que je viens de te dire.

— C'est difficile.

— Essaie quand même, pour moi, je te le demande.

— C'est important?

— Oui, c'est important.

— Eh bien, oui, je t'ai aimé, je crois.

— Pourquoi?

— Je ne sais pas, tu étais différent des autres, tu étais distant...

— Et si je n'avais pas été distant?

— Tu étais secret, ça m'intriguait.

— Mais physiquement?

— Très décoratif.

— Décoratif?

— Oui, je crois que tu aurais bien meublé ma chambre.

— C'est gentil. Et ce n'aurait peut-être pas été désagréable d'être un meuble de ta chambre.

— Mais, de toute manière, c'est du passé.

110

— C'est vrai. Et je te répète donc: buvons à l'avenir.

Elle but une longue gorgée. Je ne l'imitai pas et me contentai de l'observer. Elle s'aperçut que je ne buvais pas et s'en inquiéta.

— Tu ne bois pas? me demanda-t-elle.

— Non, me contentai-je de dire.

— Pourquoi?

— Je regardais.

— Moi ou mon verre?

— Toi, évidemment.

— Est-ce qu'il y a quelque chose dans mon verre?

— Du kir, apparemment.

— Non, je veux dire: quelque chose d'autre.

— Non.

— Une drogue, un somnifère?

— Non, je te le dis.

Mais, malgré mes assurances, Mariette se mit à examiner son verre, à le mirer, à le humer.

— Il n'y a rien, je te le dis, lui répétai-je.

— Alors, donne-m'en la preuve, bois.

Je bus.

— Et maintenant, tu es satisfaite?

— Oui.

— Tu veux me saouler, hein?

— Non, les hommes saouls ne m'intéressent que médiocrement. Leurs réalisations sont rarement à la hauteur de leurs aspirations.

— Je vois.

— Mais où sont les invités?

— En retard.

— Ils se sont passé le mot, on dirait.

— Il ne sont que deux.

— Deux?

— Oui, ma femme et son amant.

— Je m'en vais.

— Non, tu restes. Et puis, il est trop tard. Ils arrivent. On vient de sonner.

Mariette eut une hésitation. Mais bientôt je lus sur son visage que, soit par résignation, soit, tout à l'opposé, par bravade, elle avait résolu de rester. Émile alla ouvrir et introduisit bientôt au salon mes deux invités. J'eus une surprise. Laurence et son amant ne s'étaient pas déguisés.

— Très originaux, vos déguisements, plaisantai-je à l'adresse de Laurence.

Elle ne releva pas la plaisanterie, qu'elle ne sembla même pas entendre.

— Excusez-nous d'être arrivés en retard, mais j'ai essayé de te téléphoner pour te dire que nous ne pouvions pas venir, dit Laurence.

— Et tu as finalement changé d'idée? demandai-je.

— Non, nous avons simplement eu l'idée de venir te le dire en personne.

— C'est très aimable de ta part.

— De toute manière, ce n'est pas grave, il y a d'autres invités, j'imagine, dit Laurence.

— Non, vous étiez les seuls.

— Il y en a d'autres qui se sont décommandés? demanda Laurence.

— Ils n'ont pas pu.

— Venir?

— Non, se décommander.

— Ah! à cause du téléphone, j'imagine.

— Non, tout simplement parce qu'ils n'avaient pas été invités.

— Ah! je comprends. De toute manière, je vois que tu es en bonne compagnie, reprit Laurence en jetant un coup d'oeil du côté de Mariette, qu'elle n'avait pas reconnue pour la simple et bonne raison qu'elle ne l'avait

112

jamais vue. Vous allez pouvoir faire un petit souper en tête-à-tête...

— Vous allez au moins rester pour prendre l'apéritif avec nous? dis-je.

— C'est impossible, nous sommes attendus, répliqua Laurence.

— Vous l'avez été, en tout cas.

— Nous le sommes encore, vous allez nous excuser.

— Non, vous allez prendre l'apéritif avec nous. J'insiste. Émile, si tu veux aider nos amis à se débarrasser.

Émile s'empressa auprès d'eux. Débarrassés de leur manteau, ils se joignirent à nous, encore réticents, sans doute, mais prêts, apparemment, à nous accorder quelques minutes. Ils s'asseyèrent côte à côte sur le sofa.

Je ne vous ai pas encore décrit physiquement le personnage de Jacques, l'amant de ma femme, et c'est contraire aux règles, me direz-vous?. Vous avez parfaitement raison. Mais comprenez-moi. C'est que, très objectivement, il me parut au premier coup d'oeil si peu remarquable, si quelconque, si insignifiant, qu'il eût été étonnant que je n'oublie pas de le décrire. Disons que, pour compléter son portrait, il était assez grand, mince, les cheveux blonds, courts, avec une sorte de fausse prestance, habillé de la manière la plus commune qui soit. Je crois que je vous en ai assez dit. Si vous n'êtes pas satisfait, recourez à votre mémoire et pensez à l'être le moins remarquable que vous ayez jamais rencontré, si jamais vous vous en souvenez. Vous ne vous en souvenez plus? Vous comprenez mon oubli, maintenant?

— De l'alcool? leur demandai-je.

— N'importe quoi, dit Laurence.

— Émile, dis-je, apportez-leur n'importe quoi. Avec ou sans glace? demandai-je à l'adresse de Laurence.

— Peu importe.

— Apporte un peu de tout, Émile.

— Entendu, Monsieur.

— J'avais complètement oublié de faire les présentations, excusez-moi, repris-je bientôt. Je vous présente Mariette, la femme avec qui je couche actuellement, depuis un mois environ. Et vous, vous êtes cousins, à ce qu'il me semble. Depuis longtemps?

— Ne fais pas l'idiot. Je n'ai pas l'intention de jouer ce petit jeu-là, répliqua Laurence pendant que Mariette, visiblement blessée, ne savait trop que dire, mais intervint bientôt pour déclarer:

— Elle a raison, sois donc raisonnable et essaie pour quelques instants seulement d'arrêter de t'amuser avec nous comme si nous étions des jouets.

— Vous ne m'amusez guère, pourtant, laissai-je tomber.

— Nous partons immédiatement, jeta sèchement Laurence en se levant. Nous n'avions déjà pas l'intention de venir, parce que je prévoyais justement quelle serait ton attitude, alors nous ne resterons certainement pas dans de telles conditions.

— Rassieds-toi, lui dis-je.

— Non, nous partons. Viens, Jacques.

— Vous, restez assis, Monsieur Jacques, si du moins vous tenez à la vie, dis-je en portant la main à mon pistolet mais sans toutefois le dégainer.

— Mais qu'est-ce que c'est que cette histoire? demanda Laurence.

— C'est vrai, surenchérit son amant qui n'était pas encore intervenu jusque-là, qu'est-ce que c'est que cette histoire?

— Une histoire toute simple, laissai-je tomber.

114

— Je vois que vous êtes allé au théâtre un peu trop souvent et que vous avez dû tomber sur de très mauvaises pièces, dit Jacques.

— J'ai horreur du théâtre, dis-je.

— Nous aussi, continua Jacques, aussi nous vous prions de nous laisser sortir, c'est du théâtre de très mauvais goût.

— Les trois coups sont donnés, vous allez devoir rester jusqu'à la fin, si du moins vous êtes encore vivants.

— Qu'est-ce que ça signifie, cette grossière mise en scène? demanda Laurence qui rageait.

— Que quelqu'un doit mourir ce soir, déclarai-je de la manière la plus sérieuse au monde.

— Cesse tes plaisanteries morbides. Émile, veuillez nous donner nos manteaux immédiatement, dit Laurence qui avait eu fréquemment l'occasion de rencontrer Émile chez mon père.

Émile, qui venait tout juste de revenir avec un plateau de bouteilles et de verres, ne bougea pas.

— Émile, est-ce que vous m'avez entendue? Donnez-nous nos manteaux immédiatement, reprit Laurence.

— J'ai reçu des instructions très précises, expliqua Émile avec un certain dépit dans la voix.

— De la part de qui?

— De Monsieur.

— Et qui disaient?

— Que je ne dois laisser sortir personne sans l'autorisation expresse de Monsieur.

— Eh bien, moi, je vous donne de nouvelles instructions. Nos manteaux immédiatement!

— C'est impossible, dit Émile qui ne bougea pas davantage.

— Au nom de notre amitié et du passé, tenta Laurence à l'adresse d'Émile qui resta silencieux. Alors, je vais aller les chercher moi-même, dit Laurence qui tourna les talons et se dirigea vers le vestibule. Elle en rapporta son manteau et celui de son amant, qu'elle lui remit.

Il le prit, le mit et se dirigea avec elle vers la porte après nous avoir salués très sèchement. Ils en revinrent au bout d'un moment, en colère. C'est Jacques qui prit la parole:

— Qu'est-ce que ça signifie?

— Ça signifie que la porte est fermée de l'intérieur et qu'elle ne peut s'ouvrir sans cette clé, dis-je en tirant de ma poche une clé. Émile en possède un double qu'il vient d'ailleurs de jeter dans l'évier de la cuisine, si du moins il a suivi mes instructions.

— Je les ai suivies, Monsieur, précisa Émile.

Jacques fit quelques pas vers moi en disant:

— Vous allez me donner cette clé immédiatement ou je vais vous l'arracher de force.

— Vous n'en ferez rien. Vous allez vous rasseoir tranquillement, dis-je en dégainant mon pistolet que je braquai sur lui.

Il s'était immobilisé, ahuri.

— Qu'est-ce qui me dit qu'il est chargé? demanda-t-il avec bravade.

— Moi.

— Et qu'est-ce qui me le prouve?

— Moi encore, si vous le voulez. Et vous aussi, puisque vous pouvez devenir ma cible, si vous le désirez. Vous comprendrez ainsi votre erreur juste avant de ne plus rien pouvoir comprendre du tout.

Et je mirai mon arme vers son front.

— Vous voulez encore que je vous prouve que je dis vrai?

— Vous êtes un fumiste, dit Jacques.

— Je fume, c'est vrai, mais de là à être fumiste, il y a un pas, il y a un pas que vous ne franchirez pas parce que vous ne tenterez pas de prouver que j'en suis un, parce que vous êtes un poltron.

Jacques eut un geste de colère contenue. Laurence le regarda, avec une sorte de dépit, comme si elle eût souhaité de sa part un geste d'éclat, un peu plus de détermination, en tout cas. Elle ne tarda pas à intervenir.

— Tu vas me donner cette clé parce que tu n'oseras pas tirer sur moi.

— C'est vrai, je n'oserai pas tirer sur toi. Mais je ne te donnerai pas cette clé, parce que je n'aurai pas peur de tirer sur lui.

Laurence demeura interdite, parut réfléchir un instant puis, après une hésitation, dit encore:

— Tu n'oseras pas tirer...

Elle venait à peine de prononcer ces mots que je détournai légèrement mon arme et fit feu au hasard. Le coup atteignit un vase qui éclata en morceaux. En entendant la détonation, tous les invités, et Emile y compris, parurent surpris. Laurence demeura interdite. Jacques recula d'un pas, puis déclara, effrayé:

— C'est un dangereux fou!

— Que dites-vous? lui demandai-je.

— Rien. Plutôt, reprit-il comme illuminé, je disais que vous venez de vous trahir et que vous allez devoir nous laisser sortir parce que tous les voisins vont être ameutés par le coup de feu et doivent d'ailleurs accourir en ce moment.

— Erreur. J'avais prévu ce détail, évidemment. Comme j'expliquais à Mariette à l'instant, alors que je la brutalisais voluptueusement et qu'elle essayait de s'échapper, j'ai prévenu mes voisins qu'il y aurait à mon appartement la répétition générale d'une pièce très violente et que, par conséquent, ils ne devaient pas s'inquiéter s'ils entendaient des cris ou même des coups de feu.

— C'est de la séquestration, dit l'amant de Laurence.

— De la séquestration? demandai-je innocemment.

— Oui, parfaitement. Je sais de quoi je parle. Je suis avocat.

— Je ne m'en vanterais pas à votre place.

— Je ne m'en vante pas, je le dis tout simplement pour que vous sachiez que je suis parfaitement au courant de ce qui vous attend si vous persévérez. Je vous avise d'ailleurs que si vous nous relâchez immédiatement, nous ferons comme si ce malheureux incident ne s'était jamais passé et nous ne porterons pas plainte. N'est-ce pas, Laurence?

— Oui, c'est exact, dit Laurence. Sois un peu raisonnable, Pierre.

— J'ai l'impression que je ne l'ai jamais été autant. La vraie raison, c'est d'aller au bout de sa passion. Je m'en suis rendu compte un peu tard. J'essaie de rattraper le temps perdu, tout simplement.

— Le temps perdu ne se rattrape pas, me dit Laurence, et tu es en train de commettre un geste que tu vas regretter.

— Je ne le regretterai pas. Je ne pourrai pas le regretter.

— Au contraire, dit Laurence, tu vas le regretter.

— Non, je te le dis. Je vais être dans l'impossibilité de le regretter.

— Je vous répète qu'il s'agit d'une séquestration, dit Jacques, que c'est un crime qui est passible de plusieurs années d'emprisonnement, en vertu de l'article...

— Tut tut tut, l'interrompis-je, le seul article qui devrait vous intéresser, vous, c'est l'article de la mort.

— Vous déraisonnez. Qu'est-ce que vous voulez dire? demanda Jacques qui paraissait décontenancé.

— Je vous l'ai déjà dit, il y a quelqu'un qui doit mourir ici ce soir.

— Vous êtes complètement ivre! me lança Jacques.

— Non, mais je vais essayer de toutes mes forces, parce qu'on ne l'est jamais assez.

— Pierre, tu ne sais plus ce que tu dis, intervint Laurence. Tu vas poser doucement cette arme, tu vas nous ouvrir la porte et tu vas nous dire bonsoir, bien amicalement.

— Non, parce qu'il y a trop de choses que nous devons nous dire avant que je puisse vous dire bonsoir.

— Pierre, je te le dis, reprit Laurence, je n'ai pas l'intention le moins du monde de me prêter à tes manigances. Et je te préviens tout de suite que si tu ne reviens pas à de meilleurs sentiments immédiatement, tu peux commencer dès aujourd'hui à considérer que tu n'es plus rien pour moi, que l'amitié que tu m'avais proposée, eh bien, il est inutile d'y penser.

— C'est du chantage, de la plus pure forme, répliquai-je. C'est passible de combien d'années d'emprisonnement, Monsieur l'avocat?

— Ne plaisante pas, dit Laurence qui ne laissa pas à Jacques le temps de répondre.

— Si tu savais comme j'ai peu le goût de plaisanter. Je veux que notre rencontre soit sérieuse, la plus sérieuse du monde, grave. Nous allons jouer un jeu très grave, en fait, le jeu de la vérité. Et y a-t-il quelque chose de plus grave que la vérité? N'est-ce pas, Monsieur l'avocat? Ça doit vous intéresser, la vérité...

— La vérité, c'est que vous êtes inconscient de ce que vous faites présentement, dit Jacques.

— Je ne crois pas.

— Vous avez tort. Et vous, Monsieur? demanda Jacques.

— Moi, Monsieur? dit Emile qui venait d'être apostrophé.

— Vous ne vous rendez peut-être pas compte que vous êtes en train de vous rendre coupable de complicité, continua Jacques. Plusieurs années de prison vous attendent.

— Eh bien, qu'elles attendent, moi, je ne suis pas pressé, dit Émile avec un humour qui me surprit. Moi, j'ai reçu des instructions de Monsieur et je suis un homme de devoir.

— Oui, je veux bien, et je respecte les gens de devoir, ils sont de plus en plus rares aujourd'hui. Mais vous avez sans doute été dupé par Monsieur Chagnon au sujet de la portée des actes qu'il vous a demandé de poser.

— C'est possible, mais j'ai toujours eu comme philosophie de me mêler de mes affaires, répliqua Émile. Et j'ai toujours pris pour acquis que les affaires des gens pour qui je travaillais ne me regardaient pas.

— Vous allez le regretter, dit Jacques.

— Peut-être bien, admit Émile.

— Et vous, Mademoiselle? Mademoiselle qui, d'ailleurs? demanda Jacques à l'adresse de Mariette.

— Mariette Lavigne.

— Réalisez-vous, Mademoiselle Lavigne, ce qui se passe? Vous êtes complice, vous aussi.

— Je n'étais au courant de rien, Monsieur. Je suis aussi surprise que vous par ce qui arrive.

— Et quelle est votre impression? la questionna à nouveau Jacques.

— C'est intéressant, c'est très intéressant. Pour une fois que la bienséance n'empoisonne pas une soirée. J'ai l'impression que, pour une fois, nous allons assister à une vraie rencontre entre quatre êtres.

— Il n'y aura pas de rencontre, nous sommes à la merci d'un homme qui a perdu la raison et qui est ivre, rétorqua Jacques.

— Qu'est-ce qu'il a dit? demandai-je à Émile.

— Excusez-moi, mais je n'ai pas compris, répondit Émile qui paraissait embarrassé.

— Ne vous excusez pas, ça devait être inintelligible. Et de toute manière, nous avons suffisamment parlé maintenant, il est temps que nous passions à table, dis-je. Si vous voulez bien me faire le plaisir de me suivre.

— Vous allez le regretter, me dit avec hargne Jacques qui paraissait rager devant son impuissance.

— Regretter quoi?

— Vous le savez très bien, toute cette mise en scène ridicule...

— Vous la trouvez ridicule, vraiment?

— Oui.

— Elle est grave, pourtant. C'est le dernier acte. Et le dernier acte est toujours grave.

Émile nous guida jusqu'à la salle à manger. Les places avaient été assignées à l'avance, et Émile les désigna aux invités. J'étais assis à une extrémité de la table, une table très longue, Mariette à l'autre. Laurence et Jacques se retrouvaient face à face, elle, côté coeur, lui, côté rien du tout.

— J'espère que vous allez apprécier le repas. J'ai pensé que vous approuveriez mon choix, c'est le plat préféré de Laurence, du filet mignon. Ah! mais j'oubliais, vous n'avez pas encore pris d'apéritif. Qu'est-ce que je peux vous offrir?

— Je ne bois pas, jeta sèchement Jacques.

— Il n'est jamais trop tard pour commencer, rétorquai-je. Émile, apportez à Monsieur un grand verre de cognac.

— J'ai horreur du cognac.

— Eh bien, il faudra vous y faire.

— Je ne boirai rien.

— On verra bien, dis-je en balançant mon arme négligemment. Et vous, Mesdames?

— Un cognac pour moi, dit Laurence qui semblait en partie revenue de sa colère et paraissait se dire qu'il fallait se faire à la situation.

— Voilà qui est sage. Et pour toi, Mariette?

— La même chose, tant qu'à y être.

— Bon, eh bien, ce sera bien la première fois que des gens de goût prendront d'un commun accord du cognac comme apéritif. Émile, s'il vous plaît...

— Oui, Monsieur, dit Émile qui apporta sans tarder le cognac et les verres.

— Servez Monsieur Jacques en premier. Il est impatient de boire.

Émile le servit.

— Videz votre verre d'un seul trait, ordonnai-je à Jacques.

— C'est un conseil?

— C'est un ordre.

Jacques me toisa, indécis, puis, soumis, vida son verre. Il s'étouffa légèrement et émit un toussotement.

— Ce n'était pas une plaisanterie? lui demandai-je.

— Quoi donc? m'interrogea-t-il.

— Que vous ne buviez pas.

— Non.

— Elle est bien bonne, celle-là, c'est la meilleure que j'ai entendue depuis longtemps.

— Je sais me tenir, moi, répliqua Jacques.

— Ça ne durera pas, soyez sans inquiétude. Émile, qu'est-ce qui se passe?

Je ne sais pas, Monsieur, dit Émile avec embarras.

— Le verre de Monsieur est vide. Remplissez-le immédiatement.

— Oui, Monsieur.

— Videz-le, dis-je à Jacques.

— Je refuse, dit-il.

— C'est définitif?

— Oui.

— Alors, je vais être obligé de prendre des mesures définitives, dis-je en brandissant mon arme.

— Attendez. Je bois. Mais vous me le paierez!

— Je sais, c'est moi qui vous l'offre.

— Vous me le paierez, dit Jacques qui but mais s'arrêta à la moitié du verre.

— En entier, s'il vous plaît, je l'ai payé en entier.

Après une hésitation, Jacques but et faillit à nouveau s'étouffer.

— Émile, qu'est-ce que vous faites, dormez-vous? Je viens de vous dire que le verre de Monsieur était vide. Qu'est-ce que vous attendez pour le remplir?

— Je le remplis immédiatement.

— Vous remplirez celui des autres avant que notre invité nous vide notre bouteille. Je crois qu'il est vaguement alcoolique. Vous devez d'ailleurs commencer à vous sentir mieux, n'est-ce pas? dis-je à l'adresse de Jacques.

— Je ne réponds pas.

— Une chose cependant. Une question que j'avais oublié de vous poser. Est-ce que vous avez été triste la première fois que vous vous en êtes rendu compte?

— La première fois que je me suis rendu compte de quoi?

— Que vous étiez insignifiant.

— Pierre, intervint Laurence qui était piquée au vif, cesse de t'acharner sur Jacques. Il n'est responsable de rien.

— C'est vrai qu'il a l'air d'un parfait innocent.

— Pas de jeu de mots. Tu sais bien que j'ai raison, que ton acharnement est insensé. Il ne te connaissait pas.

— Il t'a prise à moi, répliquai-je sèchement.

— Non, c'est faux, nous n'étions déjà plus ensemble lorsque nous nous sommes rencontrés, Jacques et moi.

— Vraiment?

— Oui. Nous nous connaissons depuis quelques mois seulement.

— Vous l'aimez? demandai-je à Jacques qui avait discrètement repoussé le troisième verre de cognac que venait de lui servir Émile. Vous ne dites rien? Allez, buvez, cela va vous délier la langue.

— Je n'ai plus soif.

— Cela n'a jamais été nécessaire pour boire. Allez, cul sec, s'il vous plaît.

Jacques s'exécuta. Puis je lui dis:

— Je vous pose à nouveau la question de tout à l'heure: vous l'aimez, Laurence?

— Oui.

— Et vous croyez qu'elle vous aime?

— Oui.

— Est-ce qu'elle vous l'a dit?

— Oui.

— Pierre, intervint Laurence, tais-toi. Tu ouvres inutilement de vieilles blessures.

— Des blessures? Pas les tiennes, en tout cas. Parce que je n'ai pas l'impression que tu as souffert.

— Tu te trompes. Mais nous en avons déjà parlé. Allez, laisse-nous partir.

— Patiente. Ce ne sera plus très long maintenant.

— Est-ce que Monsieur veut que je commence le service? me demanda Émile qui croyait que ma réplique s'adressait à lui.

— Pas tout de suite. Et nous allons renoncer à l'entrée. C'était des avocats marinés, et nous en avons déjà un à table qui l'est passablement. Mais, en attendant, apportez-nous du champagne, beaucoup de champagne. Notre petite fête est morbide et manque de vie.

— Très bien, Monsieur, se contenta de dire Emile qui se retira.

— Maintenant, je vous cède la parole, Mesdames. Je crois que vous avez beaucoup de choses à vous dire.

— Nous n'avons strictement rien à nous dire, trancha catégoriquement Laurence.

— C'est que je n'ai pas fait les présentations correctement. Je vais les refaire. Laurence, je te présente Mariette Lavigne, celle qui a brisé notre mariage.

— C'était vous? jeta Laurence, sidérée.

— Je n'y ai été pour rien, protesta Mariette. C'est votre mari qui voulait partir avec moi, parce que sa vie avec vous était insupportable, parce qu'il étouffait.

— Mariette! lui criai-je en la foudroyant du regard pour lui intimer de se taire.

— Non, laisse-moi parler, c'est à mon tour de déblatérer, je me suis assez tue, dit Mariette avec violence.

— Ainsi, c'était vous, répéta Laurence. C'était vous, la petite garce qui s'est accrochée à mon mari.

— C'est moi, comme vous dites. Mais c'est lui qui s'est accroché.

— C'est faux, Mariette, intervins-je, tu sais très bien que c'est complètement faux!

— C'est la plus stricte vérité. Tu me disais que je serais pour toi un oasis, que c'est grâce à moi seule que tu pourrais revivre, que ta vie était devenue un enfer.

— Tu as dit ça, Pierre? cria Laurence.

— Non, jamais! protestai-je.

— Il disait aussi qu'il vivait avec vous comme avec une véritable étrangère, qu'il ne vous comprenait pas et que vous ne le compreniez pas, qu'il y avait un véritable mur entre vous deux, continua Mariette.

— Tu as osé dire ça aussi, ragea Laurence, toi qui n'arrêtes pas de me répéter que la communication entre nous était bonne?

— Non, me défendis-je, elle ment. Je ne sais pas pourquoi, mais elle ment.

— Je ne mens pas, me contredit Mariette. D'ailleurs, je ne vois pas pourquoi je mentirais.

— Je le vois, moi. Par intérêt, par calcul. Pour semer la discorde entre ma femme et moi.

— Mais vous n'êtes déjà plus ensemble depuis un an. Ouvre-toi les yeux, Pierre. Regarde les choses comme elles sont. Ta femme a refait sa vie avec un autre homme.

— Elle n'a rien refait, protestai-je. Et certainement pas sa vie, pas avec un insignifiant pareil.

— Je vous prierais... commença Jacques qui n'eut pas le temps d'achever.

— Taisez-vous, vous parlerez quand on vous demandera votre avis, lui ordonnai-je.

— Tu te caches la vérité, Pierre. Ta femme ne t'aime plus, elle a seulement pitié de toi.

— Non, c'est faux, c'est complètement faux! Laurence, dis-lui que c'est faux. Dis-lui qu'elle se trompe, implorai-je.

Laurence se tut. Elle paraissait extrêmement troublée. Elle avait penché la tête et porté une main à son visage.

— Parle, Laurence, je t'en supplie, dis-lui qu'elle a tort, répétai-je.

— Elle ne dit rien parce qu'elle sait que j'ai raison, dit Mariette.

— Non! Laurence, dis quelque chose. Parle.

Laurence redressa la tête brusquement, comme si elle avait repris courage. Elle avait l'air déterminée. Elle ne releva pas ma question. Elle passa outre, comme si elle ne l'avait jamais entendue.

— Baissez donc votre voile, vous, Mariette, que je voie votre visage, dit Laurence.

Mariette obtempéra et considéra Laurence avec un air de défi.

— Vous avez le physique de l'emploi, continua Laurence, à peu près comme je me l'imaginais, en un peu moins bien, cependant.

— Qu'est-ce que vous voulez dire? Expliquez-vous.

— Je n'aurai pas beaucoup d'explications à donner. Vous avez tout simplement le physique d'une petite putain de bas étage.

— Vous, vous n'avez pas de physique du tout, rétorqua Mariette, piquée au vif. Et je comprends maintenant qui était responsable de la vie sexuelle lamentable de Pierre.

— Tu lui as dit que notre vie sexuelle était lamentable? éclata Laurence.

— Je ne lui ai rien dit du tout, me défendis-je. Ce qu'elle dit là est un tissu de mensonges, tentai-je de me justifier auprès de Laurence. Et toi, Mariette, pourquoi t'acharnes-tu à mentir ainsi?

— Je ne mens pas, protesta Mariette, et je trouve que tu as la mémoire bien courte. Moi, en tout cas, je me rappelle ce que tu me disais comme si c'était hier... Rappelle-toi, la première fois qu'on a fait l'amour ensemble...

— Vous avez couché ensemble? s'étonna Laurence. Je le savais, je le savais! Je l'ai toujours su, d'ailleurs! Je l'ai senti dès que tu m'as parlé de cette fille. Et la fameuse fin de semaine, c'est avec elle que tu l'as passée. Et les cernes que tu avais sous les yeux, ce n'était pas parce que tu avais lu, c'était à cause de tes coucheries.

— C'est faux, c'est totalement faux. Nous n'avons jamais couché ensemble avant le mois dernier, je te le jure, Laurence. Et toi, Mariette, tu vas te rétracter immédiatement.

— Non.

— Tu vas dire la vérité ou tu vas mourir, dis-je en la menaçant subitement de mon arme.

— Tu as peur, répliqua Mariette avec un courage qui ne fut pas sans m'impressionner, parce que la vérité fait toujours peur. Mais tu ne devrais pas en avoir peur, toi. Ne nous avais-tu pas prévenus, au début, que nous allions jouer au jeu de la vérité? Moi, je ne crains pas de jouer, parce que je ne renie pas mon passé, parce que je me rappelle tout ce que tu m'as dit après la première fois que nous avons fait l'amour. Tu me disais que tu avais l'impression de ne pas avoir fait l'amour depuis des années, parce que ta femme faisait l'amour comme on avale un remède.

— Tu as dit ça? s'écria Laurence.

— Non, jamais, je te le jure, c'est de la pure fiction.

— De toute manière, je sais maintenant que tu m'as trompée avec elle, dit Laurence. Elle n'a pas pu inventer tous ces détails, elle a l'air bien trop stupide.

— Pas autant que vous, répliqua Mariette.

— En tout cas, il faut que tu me croies, Laurence, je te le dis, je... Je...

— Tu vois, tu ne sais plus quoi dire, dit Laurence.

— Il ne sait plus quoi dire parce qu'il était fou de plaisir dans mes bras et qu'il m'a fait jouir plus qu'aucun autre avant.

— Épargnez-nous vos cochonneries, espèce de chienne, lui jeta Laurence.

— Hystérique! répliqua Mariette.

— Putain!

— Frigide!

— Salope! cria Laurence qui prit sa coupe de champagne et la jeta au visage de Mariette.

Cette dernière, ahurie, ne fut pas longue à réagir et lui rendit la pareille. Cette douche réciproque parut les calmer. J'en profitai pour dire à Jacques, qui avait écouté, sidéré, cette dispute:

— Vous voyez bien que c'est moi qu'elle aime, et non vous. Une femme qui est jalouse est une femme qui aime. Et, de toute évidence, Laurence est jalouse.

— Elle n'est pas jalouse, elle est hors d'elle-même, elle est outragée par ce qu'elle vient d'apprendre sur votre compte, parce qu'elle vient de s'apercevoir que vous l'avez trompée avec une traînée.

— Je ne l'ai jamais trompée. Mais vous, sachez qu'elle vous a trompé, et pas plus tard que la semaine dernière.

— C'est exact, ce qu'il dit? demanda Jacques qui paraissait à la fois étonné et très embarrassé.

— Non, je ne t'ai pas trompé, j'ai...

— Elle vous a trompé, elle a tout simplement couché avec moi.

— Est-ce que c'est exact, ce qu'il dit? demanda

impérativement Jacques à Laurence.

Elle se taisait.

— Réponds. Dis quelque chose! reprit Jacques.

— Je vais t'expliquer... dit Laurence.

— Comment, tu vas m'expliquer? C'est oui ou c'est non? Il me semble que c'est facile.

— N'insiste pas, Jacques. Je vais t'expliquer une autre fois. Aujourd'hui, c'est impossible.

— Vous voyez bien qu'elle a couché avec moi mais qu'elle n'ose pas vous le dire, comme elle n'ose pas vous dire que c'est moi qu'elle aime. Et elle va être appelée à vous le prouver très bientôt, parce que nous allons jouer à un petit jeu. Mais avant, j'aimerais vous poser une question, à titre professionnel, bien entendu. Dites-moi donc, Monsieur l'avocat, croyez-vous au crime parfait? Croyez-vous, par exemple... Mais quel âge avez-vous au juste? Laurence m'en a déjà parlé, pour m'expliquer vos défaillances...

— Ne l'écoute pas, intervint Laurence, il dit n'importe quoi.

— Comme tout le monde, d'ailleurs. Peut-être un peu plus, tout simplement, repris-je. Mais je vous pose à nouveau la question: quel âge avez-vous?

— Ce n'est pas de vos affaires!

— Au contraire, c'est mon droit de connaître la marchandise avant de la manipuler.

— Cesse immédiatement ce petit jeu, Pierre, tu deviens morbide, dit Laurence.

— Laisse-moi faire, je consulte Monsieur à un niveau strictement professionnel. Allez, dites-moi votre âge.

— Trente-huit ans.

— Alors, croyez-vous qu'on puisse faire disparaître complètement le corps d'un homme de trente-huit ans sans laisser aucune trace derrière soi? Croyez-vous, en d'autres mots, qu'on puisse plonger un être absolument insignifiant dans le néant le plus absolu?

— Le crime parfait n'existe pas, dit Jacques. Et je vous ferai remarquer qu'en l'occurrence il y a des témoins dont la présence serait extrêmement gênante.

— Et le suicide parfait, lui?

— Tous les suicides qui sont réussis le sont, puisque le coupable est puni automatiquement et qu'il n'y a ni plaignant ni victime, de toute manière.

— C'est très juste. Je n'y avais jamais pensé. C'est illégal, pourtant?

— Oui.

— Bon, me voilà mieux renseigné. Le meurtre ou le suicide, voilà la question! Voilà la question que je vais te poser, Laurence, pour le petit jeu dont je viens de te parler. Il faut que tu choisisses, c'est lui ou moi!

— C'est absurde, Pierre, me répliqua Laurence. Dans un cas comme dans l'autre. Crois-tu sincèrement que je vais recommencer à t'aimer si tu assassines Jacques? Crois-tu réellement que je puisse aimer un assassin?

— Tu ne crois pas, comme l'a dit Nietzsche, que ce qu'on fait par amour, on le fait par-delà le bien et le mal?

— Laisse tes maudits philosophes de côté. Ils m'ont assez empoisonné l'existence lorsque j'étais avec toi! Un meurtre reste un meurtre, peu importent les motifs. C'est toujours monstrueux. On n'a pas le droit de jouer avec une vie humaine, surtout lorsqu'elle ne nous appartient pas. Je te le répète, ce que tu me proposes est absurde. Absurde et puéril.

— Et ma vie, tu ne crois pas qu'elle le soit, absurde?

— Si tu te suicides, tu ne seras pas plus avancé. Je ne te suivrai pas, dit Laurence.

— À moins que je n'emporte ta vie avec moi...

— Pour une preuve d'amour, ce serait une belle preuve, dit Laurence qui avait saisi mon allusion mais ne paraissait pas en être impressionnée.

— Et si c'était la seule manière de te prouver que je t'aime?

— Non. La seule manière de me prouver ton amour, ce serait tout simplement de mettre fin à cette grossière comédie et de nous laisser sortir bien gentiment.

— Laurence a raison, dit Jacques. Vous avez perdu la tête, mais il est encore temps de vous rattraper.

— Vous, je vous ai déjà dit de vous taire. Vous n'avez pas compris? D'ailleurs, écoutez-moi. Ce que je vais vous dire est très important. Comme Laurence ne peut pas choisir, c'est vous qui allez le faire. Même si vous êtes un minable, je vais vous remettre mon pistolet.

Cette proposition parut prendre tout le monde de court et en premier lieu celui qu'elle concernait le plus directement. Il ne parut pas y croire. Il fallut que je lui tende l'arme. Mais comme je la lui tendais en pointant le canon en sa direction, il crut que j'allais faire feu sur lui et eut un brusque mouvement de recul. Et il s'écria:

— Non, attendez, laissez-moi m'expliquer, je ne veux pas mourir!

— Vous n'avez rien compris, espèce d'imbécile! Je vous remets cette arme, je n'ai nullement l'intention de vous tuer, en ce moment; votre lâcheté et votre insignifiance me dégoûtent trop.

Il me considéra d'un air empreint de scepticisme et dit:

— C'est une nouvelle plaisanterie de votre part?

— Je vous la donne, dis-je en jetant l'arme sur la table, devant lui. Prenez-la, et tout de suite, parce que si je la reprends, moi, je n'hésite pas à faire feu sur vous, je vous règle votre compte une fois pour toutes.

Jacques réagit promptement et se jeta sur l'arme qu'il s'empressa de brandir vers moi. Il dit:

— Maintenant, le petit jeu est terminé, vous allez nous faire vos excuses en règle, à Laurence et à moi.

— Viens, Jacques, n'insiste pas, s'exclama Laurence. Allons-nous-en immédiatement.

— Non, nous avons droit à des excuses, insista Jacques.

— Et vous allez en avoir, tout de suite. Tenez.

Et je le giflai. Jacques, aussi surpris qu'offusqué, s'écria:

— Oh! cette fois-ci, c'en est trop! Vous allez me faire vos excuses immédiatement.

— Mais avec plaisir. Je m'excuse de vous avoir insulté parce que vous êtes un minable, un insignifiant et un lâche. Parce que, depuis que vous avez cette arme dans les mains, vous tremblez comme une femmelette. Et vous n'oserez jamais vous en servir, même si je dois vous y forcer.

— Ne l'écoute pas, Jacques, viens, nous allons partir immédiatement, parce que cela va tourner mal; vous êtes tous les deux saouls, vous ne savez plus ce que vous faites ni ce que vous dites, intervint Laurence qui s'était levée.

— Laisse-moi, nous devons régler ça entre lui et moi, trancha catégoriquement Jacques. Je n'accepterai jamais qu'un homme t'insulte de la sorte, ni qu'il m'insulte, moi.

Et il se leva. Je l'imitai. Je lui criai:

— Laurence vous trompe depuis le début avec moi, elle n'est avec vous que parce que vous avez de l'argent, elle m'a dit que cela la dégoûtait quand vous la touchiez.

— C'est faux, je n'ai jamais dit ça! protesta Laurence.

— Elle m'a aussi dit que vous faisiez l'amour comme un pied. C'est pour cela que vous ne méritez pas de vivre, parce qu'en plus d'être insignifiant et de n'avoir rien dans le ventre, vous êtes un incapable. Non, vous ne méritez pas de vivre et c'est pour cela que je vais vous fracasser cette bouteille sur la tête, dis-je en saisissant la bouteille de champagne que je brandis au-dessus de ma tête.

Comme elle n'était pas vide, le champagne se répandit sur ma manche. Je ne m'en souciai guère. Je m'avançai plutôt vers Jacques, l'air menaçant.

— Vous ne méritez pas de vivre plus longtemps, lui dis-je.

— Arrêtez ou je tire! Je vous préviens. Je suis sérieux.

— Vous êtes trop lâche, vous n'aurez jamais le courage de tirer, dis-je en avançant vers Jacques qui avait reculé de quelques pas.

— Pierre, arrête, arrête, je t'en supplie, pose cette bouteille immédiatement! s'écria Laurence.

— Elle a raison, Pierre, renchérit Mariette. Laisse cette bouteille, tu ne te rends pas compte de ce que tu fais.

— Au contraire. Dans quelques secondes, la cervelle de cet imbécile, si légère soit-elle, va vous apparaître au grand jour, parce que je vais lui taillader la tête.

Et je me précipitai vers lui en criant:

— Maintenant, tu as choisi, Laurence, il est trop tard.

— Arrêtez, arrêtez! hurla Jacques.

Mais je n'obtempérai pas. Le coup partit. Je m'effondrai. Laurence se mit à hurler:

— Qu'est-ce que tu as fait, Jacques? Tu as tiré, tu l'as tué, t'en rends-tu compte? Pourquoi as-tu fait ça? Il n'avait pas tiré, lui. C'était un jeu, simplement un jeu, parce qu'il m'aimait désespérément! S'il avait vraiment voulu te tuer, il se serait tout simplement servi de son arme.

— C'était un fou, rétorqua Jacques, il avait complètement perdu la tête. Si je n'avais pas tiré, il m'aurait fracassé la bouteille sur la tête. C'était lui ou moi. Il a fallu que je choisisse. J'étais en état de légitime défense.

— Idiot, avec ta loi! Tu n'as rien compris!

Laurence s'était agenouillée auprès de moi et me secouait en me suppliant:

— Pierre, Pierre, dis quelque chose, n'importe quoi, tu n'es pas mort, c'est impossible!

— Laisse-le, dit Jacques. Nous allons appeler un médecin. Peut-être est-il seulement blessé.

— Non, il est mort, il est mort, il ne bouge plus! cria Laurence. Tu n'as rien compris! Tu es une brute! continua Laurence qui s'était mise à pleurer. Aidez-moi, vous, Mariette, allez chercher de l'eau, une serviette, je ne sais pas, n'importe quoi! Ne restez pas paralysée comme une idiote!

— Oui, se contenta de dire Mariette.

— Tu n'as rien compris, reprit Laurence à l'adresse de Jacques, il t'a manipulé comme une vulgaire marionnette.

— Tu te trompes, il ne m'a pas manipulé, il avait tout simplement perdu la tête. Vous, Émile, ne restez pas là, reprit Jacques, essayez de trouver un médecin ou appelez la police. J'ai des témoins, je n'ai aucune raison de m'inquiéter.

— Espèce de brute. Tu ne penses qu'à toi, qu'à te disculper. Bien sûr, nous allons témoigner en ta faveur. Tu plaideras la légitime défense. Mais rien n'empêche qu'à mes yeux tu resteras toujours un assassin. Pierre voulait mourir par désespoir d'amour. Et c'est la façon qu'il avait choisie pour se suicider, pour que je me sente encore plus coupable, pour que j'aie mauvaise conscience jusqu'à la fin de mes jours. Il a choisi de mourir par la main de l'homme qui lui avait volé son amour.

— Je ne lui ai pas volé cet amour. C'est toi qui me l'as donné. En tout cas, je ne t'ai jamais forcé la main, ni le reste.

— Ne sois pas vulgaire, en plus, tu me dégoûtes déjà suffisamment comme ça! ragea Laurence qui continua à me secouer et à m'appeler.

— Tu as des idées bien trop romantiques, répliqua Jacques. C'est toi qui n'as rien compris de ce qui se passait. J'ai tout simplement évité d'être la victime du crime passionnel d'un mari jaloux de l'amant de son ex-femme.

— Tu n'es qu'un borné, cria Laurence cependant que Mariette revenait avec une serviette humectée. Donnez-moi ça, lui ordonna-t-elle.

Et je sentis bientôt sur mon front la fraîcheur d'un linge humide. Laurence se remit à supplier:

— Pierre, espèce d'idiot, je t'aimais, c'est toi que j'aimais! Tu n'as rien compris! Je serais revenue, ce n'était qu'une question de temps. Pierre, Pierre, réponds quelque chose, tu n'es pas mort, ce n'est pas possible!

— En effet, ce n'est pas possible, dis-je en me redressant brusquement, à l'étonnement général. Seule la première balle était véritable. Les autres étaient blanches. Je voulais savoir une chose. Et je la sais maintenant. Je sais que c'est moi que tu aimes. Tu l'as crié. Et j'ai appris, au surplus, que ton ami était un être ignoble et qu'il pouvait être un assassin.

— C'est grotesque, c'est pire que tout ce que j'aurais pu imaginer, dit Jacques qui se sentait soulagé de ne pas m'avoir tué mais en même temps offusqué d'avoir été ridiculisé.

136

Il jeta violemment l'arme qu'il tenait toujours et se tourna vers Émile pour lui dire:

— Avez-vous déjà prévenu la police?

— Non, Monsieur, je n'ai pas bougé, j'étais au courant de tout.

— Tu me dégoûtes, tu me dégoûtes, répéta Laurence qui s'était relevée. D'ailleurs, vous me dégoûtez tous autant que vous êtes. Mais surtout toi, Pierre, parce que tu t'es moqué de moi effrontément. Tu nous as manipulés comme d'habitude. Tu es un monstre, je te déteste!

— Alors, tu ne pensais pas ce que tu viens de dire à l'instant? Tu mentais?

— Je ne mentais pas, j'étais folle de douleur, parce que j'avais cru en ta sincérité, mais je m'aperçois que tu n'as fait que me duper une fois de plus.

— Je voulais simplement te prouver mon amour.

— Tu ne m'as rien prouvé du tout.

— Laurence, tu interprètes mal ce que j'ai voulu... Je... Excuse-moi...

— C'est toi qui vas nous excuser, parce que nous partons, maintenant. Viens, Jacques, dit Laurence impérativement. Émile, ouvrez-nous la porte.

Émile me regarda. J'acquiesçai du regard. Il les accompagna vers la porte.

— Laurence, je voudrais encore te dire... tentai-je.

— Non, c'est inutile, dit Laurence qui se tourna et me jeta un dernier regard. Il est trop tard. Il est trop tard depuis longtemps.

Je fermai les yeux, étourdi par tout ce qui venait de se passer. J'entendis bientôt la porte qui s'ouvrit puis qui se referma. Puis j'entendis les pas d'Émile qui revenait au salon. J'ouvris les yeux et lui dis:

— Vous pouvez partir immédiatement, je n'aurai plus besoin de vous.

— Mais la table, Monsieur...?

— Je vais m'arranger, vous pouvez partir. Et si mon père vous demande comment a été notre petit bal costumé, ne manquez pas de lui dire qu'il a été charmant.

— Entendu, Monsieur. Bonne fin de soirée, dit Émile qui s'éclipsa.

Je fermai à nouveau les yeux. J'entendis des pas près de moi, puis je sentis une main se poser très délicatement sur mon front. C'était celle de Mariette dont j'avais presque oublié l'existence dans les derniers instants. J'ouvris les yeux. Elle me regardait, sans rien dire, avec un air dont je n'aurais su trop dire s'il était triste ou tout simplement résigné.

— Ce n'était pas exactement le bal que je t'avais promis, dis-je, embarrassé.

— Oh! de toute manière, la vie ne ressemble jamais à ce qu'on nous a promis, dit-elle en abaissant sa main que je saisis et baisai avant de la lui rendre.

— Tu ne m'en veux pas trop?

— Non. Et toi?

— Non, mais dis-moi une chose, pourquoi tous ces mensonges, devant Laurence?

— Il n'y avait pas que des mensonges.

— Peut-être, mais il y en avait beaucoup. Trop, en tout cas.

— J'avais bu. Je ne savais pas trop ce que je faisais. Tu as voulu te servir de moi pour ravoir ta femme, j'ai essayé de me servir d'elle pour te ravoir. Nous sommes quittes, non?

— Oui, d'une certaine façon.

Je me tus un instant en essayant de repasser dans mon esprit tout ce qui venait d'arriver. Puis je dis:

— Laisse-moi seul, maintenant, si tu veux. Je crois

que nous n'avons plus rien à nous dire, du moins pour ce soir.

— Oui, c'est mieux ainsi, sans doute. Je ne te dis pas au revoir, parce que ça ne voudrait rien dire, surtout dans les circonstances. Mais je te dis: peut-être un soir, si tu es seul, appelle-moi. Je serai peut-être seule, moi aussi. Nous pourrons être seuls à deux, pour une nuit ou deux.

— Oui, c'est promis.

— Pas de promesse, s'il vous plaît, la dernière a trop mal tourné.

— Oui, c'est vrai. Alors, je te dis tout simplement: peut-être un soir. Excuse-moi, en tout cas. J'aurais aimé que les choses ne se passent pas ainsi entre nous...

— Moi aussi. Bonsoir.

— Bonsoir.

Je ne la raccompagnai pas jusqu'à la porte. Je n'en avais pas la force. Je n'eus que celle de me rendre dans ma salle de bains et d'y avaler trois cachets de somnifères. Le sommeil me délivra quelques instants plus tard.

II

1

Le lendemain, ce devait être un vendredi, je ne me souviens plus trop bien, mais c'est sans importance, croyez-moi. Il était huit heures du soir. Je me vêtis d'une manière plutôt inhabituelle. Je mis un smoking noir que j'avais mis une seule fois dans ma vie, le jour de mon mariage. Je l'avais remisé depuis. Il n'était guère défraîchi, malgré les années. Et j'eus le plaisir de constater que je ne l'étais guère non plus, puisqu'il me fit comme un gant. En le mettant, je sentis qu'il y avait quelque chose dans la poche intérieure de la veste. Je ne tardai pas à me rappeler de quoi il s'agissait. C'était une lettre. Je la tirai de la poche où je l'avais mise la veille de mon mariage. Elle était très vieille, jaunie par le temps. Je la gardais depuis vingt ans. Je ne l'ouvris pas, mais la regardai un instant et pensai comme le temps passait vite. Et je fus triste. Je remis la lettre dans ma poche.

Laurence, à son départ, il y a un an, avait oublié un tube de rouge à lèvres. Je ne le lui avais pas rendu. Je m'en servis pour tracer au mur, près de la porte d'entrée, un grand coeur rouge. C'est absurde, et c'est banal, me direz-vous? Peut-être, mais alors toute la vie est absurde et banale, et l'amour même... Qu'écrire au coeur de ce coeur, au coeur de ma nuit? «Laurence»? «Je t'aimais, pourtant»? «Adieu»? Je ne suis pas latiniste ni helléniste, ne vous inquiétez pas; et, comme je vous l'ai déjà dit, je n'ai pas l'intention de vous jeter de la poudre aux yeux, pour la raison que vous savez; mais il me vint à l'esprit une citation latine très triste, surtout lorsque je l'eus transformée pour la circonstance. Je la notai de manière circulaire dans le coeur: *Sic transit amor mundi.*

Je ne la traduisis évidemment pas. Je voulais que ceux qui la liraient après ne sachent pas immédiatement ce que j'avais voulu dire. Après quoi? Après que je l'aurais écrite... Mais vous, je peux bien vous le dire: Ainsi passe l'amour du monde.

Je me rendis à l'hôtel Ritz-Carlton de Montréal.

— Je voudrais une chambre, s'il vous plaît.

— Oui, Monsieur, c'est à quel nom?

— Pierre de Chagnon, dis-je en m'attardant volontairement sur la première syllabe de mon nom de famille, comte de Roquefort, ambassadeur de Suisse.

— Oh! je suis très honoré. Votre visite ne nous avait pas été annoncée, si je ne m'abuse.

— Non, en effet. Je voyage incognito.

— Ah! je vois. Vous êtes assuré de la discrétion la plus absolue de la part de notre personnel.

— J'espère, car je suis en mission diplomatique.

— Vous allez prendre une suite, j'imagine.

— Évidemment, et pas en bas du cinquième étage. J'ai horreur des rez-de-chaussée.

— Je comprends Monsieur. J'ai exactement ce qu'il vous faut. Une suite superbe au huitième étage.

— Ça ira.

— Voici votre clé. Le maître d'hôtel va vous accompagner. Si vous voulez signer ici notre registre.

— Évidemment.

— Vous avez des bagages?

144

— Non, je vous ai dit que je voyageais incognito. Il ne faut pas que j'aie l'air d'être en voyage.

— Ah! je vois. Excusez-moi.

Le maître d'hôtel arriva. C'était un homme dans la cinquantaine, aux cheveux blancs et clairsemés. Il me précéda jusqu'à ma chambre.

En entrant, j'éprouvai un curieux sentiment d'oppression même si la chambre était très vaste. Je m'empressai d'aller vers la porte-fenêtre qui donnait sur le balcon de ma chambre. Je tentai de l'ouvrir. Elle était fermée à clé.

— Comment se fait-il qu'on ne m'ait pas donné la clé de cette porte?

— C'est que nous ne la donnons pas, m'expliqua le maître d'hôtel.

— Vous ne la donnez pas?

— Pas l'automne.

— Et pour quelle raison?

— Eh bien, parce que l'hiver est généralement assez froid et que nous préférons isoler les chambres.

— Vous ne trouvez pas qu'elles sont déjà assez isolées comme ça?

— Je... C'est-à-dire que je ne fais que me soumettre à la consigne de la direction. Nous condamnons toutes les portes de balcon dès le mois de novembre. Et sans vouloir insulter Monsieur, vous êtes le premier client qui nous ait fait une telle requête.

— Vous ne m'insultez pas, vous me flattez, bien au contraire; j'aurais été blessé, en revanche, d'apprendre que tous les clients vous demandent la même chose.

— Soyez sans crainte. Mais, sans vouloir être indiscret, puis-je me permettre de demander à Monsieur pour quelle raison il désire si impérativement avoir accès au balcon?

— Vous connaissez Newton et l'histoire de la pomme?

— Newton... Newton... Attendez... Ah oui! c'est possible. Il ne serait pas venu la semaine dernière à un congrès sur le cidre de pomme?

— Non, je ne crois pas... Et la loi de la chute des corps, vous la connaissez?

— La loi de la chute des corps, attendez, attendez...

Le visage du maître d'hôtel s'éclaira soudain. Il dit:

— Mais certainement que je la connais, la chute des corps... Si vous étiez à ma place, vous ne me poseriez pas la question, sauf le respect que je vous dois, Monsieur l'ambassadeur... Si vous voyiez ma femme le soir lorsqu'elle retire son... enfin lorsqu'elle se déshabille... Et puis moi-même, je puis vous avouer, puisque nous sommes entre hommes, qu'à mon âge... Enfin vous voyez ce que je veux dire...

— Oui, je vois, dis-je avec un sourire amusé. Mais maintenant, si vous voulez m'apporter la clé... Et du champagne pour deux personnes... Et du caviar aussi...

— Oui, Monsieur l'ambassadeur, tout de suite, dit-il pour se retirer aussitôt.

On frappa à la porte à peine quelques instants après. C'était la femme de chambre, une femme d'environ trente-cinq ans, assez jolie. Elle venait vérifier s'il y avait des serviettes.

— Avez-vous besoin de quelque chose? me demanda-t-elle avant de se retirer, lorsqu'elle eut terminé sa vérification.

— Non, merci, dis-je mécaniquement, ou plutôt si, attendez, il y aurait quelque chose que j'aimerais vous demander, quelque chose de très particulier qui vous semblera sans doute incompréhensible et bizarre, mais au point où j'en suis, je ne vois pas pourquoi je m'en priverais: j'aimerais beaucoup que vous vous déshabilliez devant moi. Je désire voir le corps d'une femme, enfin votre corps, avant...

— De me demander de faire l'amour?

— Non.

— Ah! j'aurais cru, parce que c'est plus prudent parfois... Mais je n'ai pas d'objection, dit-elle en commençant à déboutonner presque machinalement sa chemise, à mon étonnement ravi.

— Mais vous êtes une femme étonnante, ne pus-je m'empêcher de dire.

— On le dit.

— Ah! parce qu'il vous arrive souvent d'étonner les hommes ainsi.

— En moyenne deux fois par semaine, comme tout le monde.

— Vous êtes mariée?

— Je l'ai été.

— Vous ne l'êtes plus?

— Je suis veuve.

— Ah! mes condoléances. Et depuis quand?

— Depuis hier matin.

— Depuis hier matin? Et vous êtes ici, prête à vous déshabiller devant moi? Ce n'est pas que je sois un homme à principes, mais vous ne trouvez pas qu'il y a là quelque chose d'irrévérencieux?

— Non. Enfin, je ne veux pas vous raconter toute mon histoire, mais si vous saviez ce qu'a été ma vie conjugale, ou plutôt ce qu'elle n'a pas été...

— Au contraire, racontez, ça m'intéresse. Votre mari était malade?

— Non, mais il avait une maîtresse depuis le début de notre mariage. Et quand je dis «maîtresse», je suis

147

polie, parce que sa maîtresse, c'était mon frère. Alors, que je sois irrévérencieuse...

— Oui, je comprends, ce n'est pas banal.

— Ce n'est pas banal, mais c'était d'un ennui. Alors, j'en ai pris mon parti.

— Je vois.

Elle eut bientôt fait de découvrir sa poitrine qui était nue sous sa robe.

— Vous êtes sûr que vous ne voulez pas qu'on complète? me demanda-t-elle.

— Qu'on complète?

— Oui, je veux dire, on pourrait donner une extension... Se faire l'amour, en d'autres mots...

— Non, excusez-moi, pas ce soir. Ce n'est pas que vous ne soyez pas jolie, au contraire. Mais j'attends quelqu'un.

— Ah! dans ce cas, je vais me rhabiller.

— C'est préférable.

Elle se rhabilla.

— Avant que vous ne vous retiriez, j'aurais une autre question à vous poser, lui dis-je. Connaissez-vous Balzac?

— Balzac? Si vous pensez que je le connais! J'ai lu en entier *La Comédie humaine.* Mais après le mariage que j'ai eu, les romans d'amour, je n'y crois plus. Maintenant, je lis Alain Robbe-Grillet.

— Alain Robbe-Grillet?

— Oui, vous ne le connaissez peut-être pas. D'ailleurs, si vous aimez le roman, je ne vous le conseille pas, il n'a pas beaucoup de talent. Mais j'ai appris un jour qu'il avait parlé contre Balzac. Alors, cela me l'a rendu immédiatement sympathique.

— Je vois.

— Mais, si ce n'est pas indiscret, pourquoi me

parlez-vous de Balzac? Vous cherchez peut-être un roman pour tuer le temps...

— Tuer le temps, non...

— Vous avez peut-être de la difficulté à vous endormir... Alors, dans ce cas, je vous recommanderais plutôt un Robbe-Grillet, il est mortel. Tenez, par exemple, le soir quand j'ai des insomnies, je me lève et je me mets à tourner en rond dans mon appartement, pour m'épuiser; quand ça ne marche pas, je reviens dans ma chambre, et là, c'est *Le Labyrinthe*.

— Le labyrinthe?

— Oui, c'est un de ses romans. Il est extraordinaire. Moi, en tout cas, je ne suis jamais capable de lire trois pages sans m'endormir profondément. Ça m'ennuie un peu, cependant, parce que je ne suis pas encore arrivée au passage où il parle contre Balzac.

— Vous êtes gentille, mais je n'ai pas d'insomnies.

À ce moment, on frappa à la porte.

— Ce doit être le maître d'hôtel, dit la femme de chambre. Je vais y aller.

Elle se retira et laissa entrer le maître d'hôtel qui poussait devant lui un carrosse sur lequel se trouvaient une bouteille de champagne dans un seau à glace, du caviar en abondance et le couvert pour deux.

— Versez-moi immédiatement à boire, s'il vous plaît.

— Oui, Monsieur l'ambassadeur.

— Et dites-moi, repris-je alors qu'il achevait de me servir, êtes-vous heureux?

— Si je suis heureux?

— Oui.

— De vous servir?

— Non, en général.

— Ah! eh bien, si je place la vie que j'aurais aimé vivre à côté de celle que j'ai vécue... Je suis bien obligé de me dire...

— De vous dire quoi?

— Eh bien, que parfois j'aimerais mieux être à votre place. Mais d'autres fois, je me dis que je n'ai rien à envier à personne. Vous savez, avec les clients que nous avons ici à l'hôtel, j'ai souvent l'impression de me trouver dans un hôpital. Et je ne pense pas qu'il y ait d'infirmier qui envie le sort de ses malades. Même s'ils sont millionnaires. Et puis, de toute manière, je suis fier de suivre une tradition familiale. Car, dans la famille, nous sommes maîtres d'hôtel de père en fils depuis cinq générations. Je déplore une chose, cependant. C'est que les bonnes manières se perdent, de nos jours. Voyez-vous, moi, je suis de la vieille école. Mais nous n'avons plus les riches que nous avions. Quand nous faisons le service classique, aujourd'hui, ils ont l'impression que nous voulons leur montrer à vivre. Ils ne savent plus comment tendre leur chapeau ni consulter une carte de vins.

— C'est amusant, ce que vous me dites là. Versez-vous donc un verre. Nous allons boire.

— Non, je vous remercie, jamais pendant le service.

— Ah! je vois, la vieille école...

— En effet, Monsieur, dit le maître d'hôtel.

— Puis-je vous poser une autre question?

— Mais certainement Monsieur l'ambassadeur.

— Connaissez-vous Balzac?

— Balzac... Balzac... Attendez. Mais bien sûr que je le connais. J'ai lu son livre. C'est une femme de chambre qui me l'a passé, justement celle qui sortait de votre chambre tout à l'heure lorsque je suis entré.

— Ah! je vois.

— Mais pourquoi me parlez-vous de lui?

— Pour savoir ce que vous pensez de cette phrase qu'il a dite: «Je fais partie de l'opposition qui s'appelle la vie.»

— Ah! attendez... Vous me prenez un peu au dépourvu. Je ne me souviens pas d'avoir lu cette phrase. Est-ce qu'il aurait écrit un nouveau livre?

— Non, il s'est arrêté au premier. Il n'avait pas la vocation.

— Ce ne sera pas une perte pour les librairies. En tout cas si j'en crois ce que la femme de chambre m'a dit contre lui.

— Oui. Mais quoi qu'il en soit, trouvez-vous qu'il ait eu raison de dire cela? La véritable opposition n'est-elle pas, à l'opposé...

— L'opposition, elle est sûrement à l'opposé, Monsieur l'ambassadeur.

— Bien. Vous avez la clé du balcon?

— Oui, Monsieur, j'allais justement vous la remettre.

— Gardez-la et ouvrez vous-même la porte.

— Très bien, Monsieur, dit le maître d'hôtel qui s'exécuta aussitôt.

— Avancez-vous sur le balcon, s'il vous plaît.

— Vous voulez que je m'avance sur le balcon?

— Oui.

— Mais pour quelle raison?

— Par prudence. On ne sait jamais. Il n'est peut-être pas solide; si vous avez condamné la porte depuis si longtemps, c'est peut-être que le balcon est lui aussi condamné.

— Mais non, je vous assure.

— Prouvez-le moi.

— Mais certainement, tout de suite. Vous voyez bien, dit-il, le visage épanoui, en s'avançant sur le balcon.

— Regardez en bas, maintenant.

— En bas?

— Oui, en bas.

— Mais pourquoi?

— Pour voir ce qu'il y a.

— Ah! je vois.

— Et que voyez-vous?

— Le Jardin, le fameux Jardin du Ritz, qui n'est pas en saison, évidemment, mais dont nous sommes très fiers. Vous devriez vous donner la peine de venir le voir.

— Je n'en ai pas envie. Dites-moi plutôt ce qu'il y a immédiatement au bas de mon balcon.

— Du ciment, avec une espèce de jardinière également en ciment, qui est évidemment dégarnie actuellement, vu l'époque, mais qui est habituellement fleurie de très belles fleurs, que la maison entretient avec beaucoup de soin et que...

— Oui, ça va, passez-moi les détails. Mais y a-t-il autre chose? Une porte, par exemple? Est-ce que c'est une promenade?

— Habituellement oui, mais à cette époque, avec le temps frais et la pluie, il y a assez peu de promeneurs.

— Ah! je vois. Et il y a autre chose?

— Non. Ou plutôt si, une espèce de...

— Une espèce de quoi?

— Eh bien, je ne connais pas le nom de la chose, et, en plus, elle est assez difficile à décrire, mais si Monsieur veut bien s'approcher, il pourra voir de lui-même.

— Non. J'ai le vertige.

— Mais alors, Monsieur, pouvez-vous me dire pourquoi vous teniez tant à ce que j'ouvre la porte?

— Vous ne trouvez pas qu'à mon âge il est temps que je m'habitue à ne plus avoir le vertige?

— Oui, bien entendu. Je vais alors... Je vais alors m'efforcer de décrire à Monsieur la chose...

— Non, c'est inutile, j'en ai assez vu.

— Comme vous voulez.

— Vous pouvez vous retirer maintenant.

— À votre service, Monsieur l'ambassadeur. S'il y a quelque chose, vous pouvez m'appeler.

— Et s'il n'y a rien?

— Euh... eh bien...

— C'est bien, vous êtes libre.

Dès que le maître d'hôtel fut sorti, je bus trois verres de champagne d'affilée, puis j'allai sur mon balcon. La nuit était sombre, sans étoiles. Le vent était frais, infiniment. Je m'attardai un instant, songeur. Puis je pensai à téléphoner à ma femme. Ce que je fis immédiatement. La sonnerie du téléphone retentit à plusieurs reprises, si bien que je crus que Laurence était absente. Cependant, je persévérai, par désespoir. À mon étonnement, Laurence répondit enfin. Elle paraissait essoufflée. Elle cria quelque chose qui me fit infiniment de peine:

— Jacques, je m'en allais, ce ne sera pas long.

Je ne répliquai pas tout de suite.

— C'est moi, finis-je par dire au bout d'une longue hésitation.

— Ah! je croyais, dit Laurence dont le ton de voix avait changé subitement.

— Je voulais te dire...

— Je n'ai pas le temps, Pierre, je suis attendue.

— Moi aussi. Je te demande seulement quelques instants.

— Je suis pressée. Tu es sûr que tu ne peux pas me rappeler demain?

— Non, demain c'est impossible.

— Une autre fois, alors?

— Non plus.

— Nous n'avons plus rien à nous dire, pourtant, il me semble, surtout après ce qui s'est passé hier.

— Justement, je voulais m'excuser, je...

— C'est inutile, il est trop tard.

— Et avec Jacques?

— Ça s'est arrangé, il a compris, lui, dit Laurence avec une certaine agressivité.

— Je n'ai pas voulu... Je...

— Tu as tout de même trouvé le moyen de faire ta petite mise en scène pour nous tourner tous en ridicule.

— Ce n'était pas mon intention.

— C'est ce que tu as fait, pourtant.

— C'était par amour.

— Dis plutôt par orgueil, pour nous humilier!

— C'était uniquement par amour.

— Alors, il faudra que dans l'avenir tu apprennes à aimer d'une autre manière. Avec moi...

— Avec toi?

— Il est trop tard, tu le sais bien, je te l'ai déjà dit tant de fois.

— Mais hier, pourtant, quand tu étais agenouillée près de moi...?

— J'avais perdu la tête, je ne savais plus ce que je disais. Mais c'est impossible maintenant.

— C'est de ma faute, j'ai fait des erreurs, je sais.

— Mais non, ce n'est pas de ta faute, en tout cas pas exclusivement. Nous avons fait nos erreurs tous les deux. Nous étions jeunes, nous nous sommes mal aimés. Cela nous servira de leçon.

— Dis-moi une chose, une dernière chose...

— Laquelle?

— Je ne sais pas.

— Alors, pourquoi me le demandes-tu?

— Dis-moi la chose que tu me dirais si tu devais me parler pour la dernière fois.

— Qu'est-ce que c'est que cette histoire? Je ne comprends pas. Je n'aime pas ce ton tragique. Tu sais très bien que nous allons nous revoir.

— Tu penses?

— Mais oui. Es-tu seul en ce moment?

— Oui.

— Tu attends quelqu'un?

— Non.

— Je...

— Tu quoi?

— Non. Rien. Excuse-moi. Il faut que je te quitte maintenant.

— Attends. Dis-moi cette chose, cette dernière chose...

— Eh bien, je ne sais pas... Je ne t'en veux pas, nous avons eu de bons moments... Et peut-être un jour, je ne sais pas, la vie...

— La vie quoi?

— La vie est imprévisible, les circonstances pourront peut-être changer... On ne sait jamais.

— Dis-moi une dernière fois que tu m'aimes.

— Mais Pierre...

— Même si c'est faux, ça n'a pas d'importance...

— Pierre...

— Je te le demande...

— Je t'aime, dit Laurence rapidement.

Et elle se tut. Il me sembla alors qu'elle pleura. Je le lui demandai.

— Non, ce n'est rien, c'est un mauvais rhume tout simplement, dit Laurence. Excuse-moi, je dois partir maintenant.

Puis elle reprit, d'une voix complètement différente, pleine de tendresse, pour la première fois depuis longtemps, depuis très longtemps, me sembla-t-il:

— Mais promets-moi de prendre bien soin de toi. Parce que toi aussi tu vas attraper un rhume. L'hiver approche. Tu mettras le foulard vert que je t'ai tricoté et comme ça, d'une certaine manière, nous serons encore ensemble. J'aurai un peu l'impression d'être près de toi, et toi, tu sentiras que je suis là. Allez, au revoir, maintenant.

— Attends, attends ! Je voulais te dire une dernière chose. Je voulais te dire que j'ai tout aimé, que je recommencerais tout...

— Je sais, Pierre.

— Une dernière chose. Quelle robe as-tu?

— Une robe neuve, que tu ne connais pas.

— Dis n'importe quoi, alors. Invente.

— Je n'inventerai pas. J'ai une robe bleu marine, tout simplement.

— Un peu comme celle que j'ai gardée?

— Oui. Mais oublie-moi, Pierre, oublie-moi. Je t'aime, mais tout est fini.

Et elle raccrocha. J'essayai de la rappeler immédiatement, mais en vain. Je laissai sonner une cinquantaine de fois au moins. Elle était partie, sans aucun doute. Je ne raccrochai pas, mais appelai plutôt mon père. Il était là.

— Papa?

— Oui, répondit-il de sa voix si particulière, si pleine d'assurance, mais en même temps si absente.

— C'est Pierre.

— Ah ! excuse-moi, je ne t'avais pas reconnu, ta voix est changée. Es-tu souffrant?

— Non, ce n'est rien, peut-être simplement une légère irritation de la gorge.

— La cigarette, hein? Si tu voulais m'écouter, au moins une fois... Mais nous nous sommes déjà disputés à ce sujet... Que me vaut l'honneur de ton appel? Et, au fait, tu ne devais pas partir en voyage ce soir? Il me semble que c'est ce qu'Émile m'a dit cet après-midi...

— Oui, mais... dis-je.

Et j'eus une hésitation, ne sachant trop si je devais mentir, ni si je le pourrais.

— Ton avion a du retard?

— Oui, précisément, m'empressai-je de répondre, trop heureux que mon père m'eût trouvé lui-même une si bonne excuse.

— C'est un retard considérable?

— Quelques heures.

— Ah! c'est embêtant, tu dois drôlement t'ennuyer à attendre comme ça, dans ce grand aéroport. Au fait, tu es à Mirabel ou à Dorval?

— À Mirabel.

— Eh bien, c'est déjà mieux. Il y a des bars agréables, et je sais que tu es comme moi. Tu ne devrais pas, mais dans les circonstances...

À ce moment, on frappa à la porte de ma chambre, et, dans ma distraction, dans mon énervement, je commis une bévue.

— Excuse-moi, on frappe à la porte.

— On frappe à la porte? demanda mon père avec beaucoup d'étonnement.

— Attends, lui dis-je, je vais t'expliquer.

C'était la femme de chambre.

— Excusez-moi de vous déranger, dit-elle, mais y a-t-il une heure à laquelle vous aimeriez être réveillé demain matin?

— Le plus tard possible. J'ai l'intention de dormir très longtemps.

— Merci. Et bonne nuit.

Je refermai la porte. En retournant vers le téléphone, je me demandais ce que diable j'allais bien pouvoir dire à mon père pour justifier ma présence dans une chambre alors que je n'avais pas encore pris mon avion. Par chance, c'est mon père lui-même qui me tira d'embarras. Il me dit:

— C'était une femme, hein?

— Oui, mais...

— Il n'y a pas de mais. Petit cachotier, va. Ne t'en cache pas, surtout à ton père. Tu sais, j'en ai vu d'autres. Et puis tu es mon fils. Je sais comment j'ai été, dans ma jeunesse. Tu ne peux pas être différent de moi, c'est héréditaire. Tu ne pars pas seul en voyage, n'est-ce pas? Il y a une petite amie qui est avec toi et, au lieu d'attendre bêtement que l'avion parte, elle a eu une idée pour tuer le temps avec toi. Et puis elle trouve drôlement ennuyeux que tu prennes le temps d'appeler ton vieux père alors qu'il y a tant de choses que vous avez à vous dire. Tu ne changeras donc jamais. Et je ne comprendrai jamais pourquoi tu es ainsi, pourquoi, par exemple, tu as attendu la veille de ton mariage pour me présenter ta fiancée, dont je ne connaissais même pas l'existence. Et d'ailleurs... D'ailleurs, j'y pense. Que je suis bête. J'aurais dû y penser avant...

Et il marqua alors une très brève pause au cours de laquelle il se mit à chantonner un air curieux.

— C'est inouï, reprit-il bientôt, c'est littéralement inouï. Est-ce que tu n'es pas en train de rejouer le même scénario que jadis? Est-ce que tu ne me téléphones pas parce que tu as soudain été pris de remords à l'endroit de ton vieux père et que tu veux lui apprendre que tu as l'intention de te remarier, si ce n'est déjà fait, et que ton voyage est en fait un voyage de noces?

— Non, ce n'est pas tout à fait ça. En fait, si je vous appelais, ça va peut-être vous surprendre, mais ce n'était pas pour prendre des nouvelles de vous, enfin pas seulement pour ça. J'aurais aimé que vous me parliez de ma mère.

— De ta mère? Mais pour quelle raison? Je trouve ça curieux. Il ne se passe rien de grave, au moins?

— Non, rassurez-vous. Je... C'est que depuis quelque temps, j'ai une sorte de nostalgie. Je m'ennuie beaucoup d'elle.

— Moi aussi... Et si tu savais à quel point...

— Mais vous n'avez jamais pensé...?

— Pensé, quoi?

— Je ne sais pas, ça va peut-être vous paraître indiscret... Mais vous n'avez jamais pensé, pour l'oublier, de refaire votre vie avec une autre femme?

— On ne refait sa vie avec une autre femme que lorsqu'on ne l'a pas vraiment faite avec la première. Oh, bien sûr, il y a eu beaucoup de femmes après elle. Mais vois-tu, avec le passé que j'ai eu avec ta mère, j'aurais trouvé ça indécent de les aimer. Si tu l'avais connue... Enfin je veux dire si tu l'avais vraiment connue, comme j'ai pu la connaître... Cette beauté qu'elle avait, cette sorte de présence particulière, et cette intelligence de la vie si peu commune.

— Pourquoi ne m'en parliez-vous jamais? Moi, je n'osais pas vous questionner. J'avais pris la résolution de respecter votre silence, mais il y a des jours où les résolutions...

— Je comprends. Mais j'avais mes raisons. Je n'ai jamais oublié ton visage quand je t'ai appris la nouvelle, à ton retour d'hôpital, ni la crise nerveuse que tu as faite le soir même. J'avais peur de rouvrir une vieille blessure...

— Je vois. Mais ce soir, j'aimerais que vous m'en parliez. Je sens que l'heure est venue. Ça va peut-être vous paraître curieux, mais j'aimerais que vous m'expliquiez en quelles circonstances elle est morte.

— C'est curieux, en effet. Et honnêtement, je ne vois pas l'intérêt de ressasser des événements si lointains et si macabres.

— Moi, je le vois. Ces détails ont pour moi une importance très grande que je ne peux pas expliquer.

— Tu m'intrigues. Qu'est-ce qui se passe?

— Rien, rien, je vous assure. Je veux savoir, tout simplement. C'est peut-être absurde, mais c'est ainsi. Comment a eu lieu son accident?

— Je ne sais pas, Pierre, je ne sais pas. Je n'étais pas sur les lieux. Et je n'ai pas pris la peine de lire le *Photo-police,* pour connaître les détails.

J'étais mal à l'aise.

— Je m'excuse. Je comprends que vous préfériez ne pas en parler. Mais je vous demanderais une chose, une seule chose.

— Laquelle?

— Une date.

— Une date?

— Oui, celle de sa mort.

— Mais je ne sais pas, je ne sais plus... Il y a de cela si longtemps...

— C'est pourtant, il me semble, une date qu'on oublie difficilement.

— Si tu savais ce que j'ai essayé de faire pour l'oublier... Surtout que ce soir, spécialement...

160

— Ce soir?

— Non, ce n'est rien... Je n'ai rien dit.

J'étais intrigué. Je sentais qu'il me cachait quelque chose. Voulait-il ménager ma sensibilité? Ou la sienne.

J'étais ému, également. Pendant un assez long moment, il ne dit rien. Qu'attendait-il? Je n'aurais su le dire. Et il avait laissé tomber sa réplique d'une manière si désarmante que je ne me sentais plus la force de l'interroger davantage, ce qui ne fut pas nécessaire, heureusement.

— Je vais te raconter une histoire qui va peut-être te paraître étrange, mais, vu que nous en sommes aux confidences, depuis le début, pourquoi ne pas continuer, hein? dit mon père.

— Je vous écoute.

— Eh bien, tout à l'heure, quand tu m'as téléphoné, je venais juste de revenir du restaurant, de l'hôtel plutôt, d'un hôtel très bien, enfin que je trouve très bien, moi, et où je vais une fois par année, toujours à la même date: le Ritz-Carlton.

En l'entendant prononcer le nom de l'hôtel, j'éprouvai un sentiment étrange. Un malaise indéfinissable. C'était un hasard vraiment inouï. Je n'en croyais pas mes oreilles. Mais je n'étais pas au bout de ma surprise.

En effet, mon père, qui ne se doutait pas le moins du monde de l'étonnement qu'il me causait, poursuivit bientôt, de sa voix émouvante:

— Et ce soir, comme à tous les soirs, une fois par année, j'ai mangé seul à ma table, en face d'un couvert vide.

— Je ne comprends pas.

— C'est que, vois-tu, c'est la date où ta mère et moi nous nous sommes rencontrés. Nous avions pris l'habitude de faire un petit souper intime, toujours le même jour, toujours au même endroit. Et la vie a voulu que ta mère choisisse cette date pour...

— Pour mourir?

— Non, non... C'est autre chose. Mais tu ne pourrais pas comprendre. C'était entre elle et moi.

— Ah, je vois, je vois.

— Est-ce que tu es satisfait maintenant? Est-ce que j'ai bien répondu à ton interrogatoire?

— Oui, mais il y a un détail encore.

— Un détail?

— Oui, j'ai devant moi une lettre...

Et, en effet, je venais de tirer de ma poche et d'ouvrir la lettre que j'avais apportée.

— Une lettre? demanda mon père. Je ne vois pas ce qu'une lettre vient faire dans notre conversation.

— C'est une lettre de ma mère.

— Une lettre de ta mère? dit fébrilement mon père qui paraissait absolument sidéré. Mais je ne comprends pas, c'est impossible. Il doit y avoir une erreur.

— C'est une lettre qui vous est adressée.

— Qui m'est adressée à moi et que tu as reçue?

— Je ne l'ai pas reçue. Mais je l'ai lue.

— Tu l'as lue?

— Oui.

— Merci de ta discrétion. Mais explique-moi d'où vient cette lettre, je ne comprends pas.

— Je l'ai trouvée il y a vingt ans, sur votre table de chevet. Elle était décachetée. Mais je ne l'ai pas lue tout de suite.

— Non, quand même, tu avais de l'éducation à l'époque.

— Ne plaisantez pas, papa, ce n'est pas drôle.

— Si tu le dis.

— Cette lettre, je l'ai emportée dans ma chambre. Puis je l'ai lue.

— Ah! tu l'as perdue vite, ton éducation.

— Oui, très vite. Mais je continue. Cette lettre, je n'en ai pas compris tout de suite le sens. Mais je l'ai gardée précieusement parce que c'était le dernier souvenir que je conservais de ma mère et surtout parce que je sentais que je n'aurais pas dû la trouver, parce qu'elle contenait un secret qui ne m'était pas destiné. Et depuis ce jour, je vis avec un doute, avec un doute et un espoir...

— Un doute et un espoir? Je ne comprends pas...

— Vous allez comprendre, je vous lis cette lettre sur-le-champ:

«Je ne regrette pas d'être partie. Avec un peu de recul, je m'aperçois que j'ai pris la bonne décision. Cette séparation ne saurait être que bénéfique pour nous deux, tu le comprendras, j'en suis sûre. Occupe-toi bien du petit. Sans doute sera-t-il chagriné de ne pas me trouver là, surtout à la sortie de l'hôpital. Mais je sais que tu sauras trouver les bons mots pour lui faire comprendre tout ce qui s'est passé. Embrasse-le bien fort de ma part et aime-le pour deux. Je t'embrasse et je te dis tout simplement au revoir, parce que c'est plus élégant. Louise.»

À l'autre bout de la ligne, mon père se taisait.

— Vous ne dites rien? lui demandai-je.

— Non.

— Alors, dites-moi une seule chose: pourquoi m'avez-vous menti?

— Pourquoi je t'ai menti?

— Oui, pourquoi m'avez-vous fait croire que ma mère était morte alors que cette lettre est la preuve indubitable qu'elle vit?

— Tu... Tu n'as rien compris... Et je...

— Vous êtes pris?

— Non, je suis triste parce que tu t'es imaginé tout un roman.

— Mais la lettre ne peut avoir cinquante-deux significations.

— Non, ni cinquante-deux ni cinquante, mais deux.

— Deux?

— Oui, la tienne et la vraie, que je vais te donner sur-le-champ.

— J'attends.

— C'est tout simplement qu'à cette époque-là ta mère et moi, tu vois... Eh bien, c'est difficile à expliquer... et pourtant, tu es assez vieux, tu devrais comprendre, tu devrais comprendre qu'il y a dans la vie d'un couple des moments difficiles où il faut que chacun prenne un peu de recul... Il faut parfois se séparer pour mieux pouvoir se retrouver. En un mot, ta mère et moi, nous... nous avions convenu d'une séparation provisoire... qui en plus coïncidait très bien avec son désir de passer quelques semaines dans sa famille, qu'elle voyait très peu. Voilà, c'est ainsi. Est-ce que tu es satisfait?

— Non, au contraire, je suis déçu, je suis extrêmement déçu de voir que vous persistez à me mentir en dépit de l'évidence.

— L'évidence, l'évidence ! Ton évidence. Tu vas voir, avec le temps, que dans la vie il n'y a jamais rien d'évident.

— Sauf les faits. Et la lettre que j'ai est un fait.

— C'est un fait que tu l'as, je veux bien. Mais ce qu'elle dit...

— Ce qu'elle dit est clair. Je ne suis pas fou quand même.

— Non, mais tu ne sais pas lire. La séparation dont parlait ta mère devait être bénéfique parce qu'elle ne devait être que provisoire. Si elle ne l'a pas été, c'est qu'une tragédie l'en a empêchée.

— Vous tordez le texte. Mais dites-moi donc ce qu'elle pouvait bien vouloir dire lorsqu'elle écrivait: «Je sais que tu sauras trouver les bons mots pour lui faire comprendre.»

— C'est triste, Pierre. Je constate à quel point tu t'es illusionné. Dans ta douleur, tu as interprété faussement chaque détail, pour soutenir ton espoir. Elle voulait simplement que je te fasse patienter jusqu'à son retour.

— Non, non. Je n'ai pas rêvé. Et il y a un détail qui est sans équivoque. À la fin, quand ma mère écrit: «Je t'embrasse et je te dis tout simplement au revoir, parce que c'est plus élégant.» N'est-ce pas de toute évidence parce qu'elle voulait dire adieu, mais qu'elle n'a pas voulu vous accabler davantage en utilisant un mot aussi définitif?

— On se croirait à la petite école, en train de faire une leçon de grammaire. C'est simple, pourtant. Et cependant, évidemment, tu ne pouvais pas comprendre. C'était une plaisanterie que ta mère et moi faisions souvent... À tous les jours, même... Quand nous devions nous voir quelques heures plus tard, elle me disait presque toujours, sur un ton badin: «Je ne te dis pas adieu, parce que c'est impoli, je te dis simplement au revoir, c'est plus élégant.» C'est une vieille plaisanterie qui remonte loin.

— Mais pourtant, il ne manquait rien...

— Il ne te manquait rien qu'un peu de résignation. Tu as péché par surplus d'espoir.

— Mais la date. Dites-moi la date de son décès, si c'est vrai qu'elle est morte. Vous devez bien pouvoir vous en souvenir quand même.

— C'est très loin, tout ça... Je te l'ai déjà dit... Et je ne vois pas l'intérêt.

— Au contraire, vous le voyez très bien.

— Je ne vois pas pourquoi tu dis ça.

— Ma mère a choisi la date même de l'anniversaire de votre rencontre pour mourir, comme vous alliez me le dire tout à l'heure, n'est-ce pas?

— Oui, se contenta de dire mon père.

— Je n'ai pas besoin d'en savoir davantage. C'est la preuve qu'il me fallait. Je sais maintenant que vous m'avez menti. Ma mère avait daté de sa propre main sa lettre, et la date est postérieure d'une semaine à sa mort présumée.

Mon père ne dit rien.

— Papa, est-ce que vous êtes encore là? Parlez, dites quelque chose.

Mon père se taisait toujours, d'une manière qui n'était pas sans commencer à m'inquiéter.

On frappa à la porte. Je ne voulus pas répondre mais on frappa à nouveau, avec beaucoup d'insistance. Je dis à mon père:

— Attendez-moi juste une seconde. Surtout, ne quittez pas, je reviens.

Je posai le récepteur et me précipitai vers la porte que j'ouvris avec brutalité.

— Oui, qu'est-ce qu'il y a, qu'est-ce que c'est? demandai-je au très jeune garçon de table que j'aperçus à ma porte.

— Je viens de la part du maître d'hôtel, me dit-il. Il fait demander si vous voulez qu'on vous réserve une table ce soir.

— Oui, pour deux personnes s'il vous plaît.

— Merci beaucoup, Monsieur.

Je claquai la porte et me précipitai vers mon lit pour reprendre l'appareil téléphonique. Mon père avait raccroché. Je m'empressai de recomposer son numéro. La sonnerie retentit à plusieurs reprises. Je désespérais. Puis enfin on répondit. J'éprouvai un vif soulagement.

— J'ai cru que vous ne répondriez pas. Pourquoi avez-vous raccroché?

— *I beg your pardon?*

Je compris ma méprise. Je raccrochai sans m'excuser. Je composai à nouveau, plus lentement. La sonnerie retentit sept ou huit fois avant qu'on ne décrochât.

— Papa, est-ce que c'est vous? m'empressai-je de demander.

— Qui veux-tu que ce soit? Tu sais bien que je vis seul.

— Oh! c'est parce que tout à l'heure...

— *I beg your pardon?*

— Ah ! c'était vous, espèce de... Pourquoi vous moquez-vous de moi ainsi?

— Je suis malheureux.

Sa réplique, qu'il avait laissé tomber sur un ton si simple et si sincère, me laissa interloqué.

— Mes suppositions étaient exactes?

— Elles l'étaient.

— Ma mère n'est pas morte?

— Je ne sais pas.

— Comment, vous ne savez pas?

— Eh bien, en tout cas, elle n'est pas morte d'un accident il y a vingt ans. Mais depuis, je ne sais plus. Je n'ai plus eu aucune nouvelle d'elle depuis cinq ans.

— Mais pourquoi?

— Pourquoi je n'ai pas eu de nouvelles? Je n'en sais rien.

— Non, pourquoi est-elle partie?

— Elle n'a jamais voulu me le dire.

— Elle est partie avec un autre homme?

— Je ne sais pas. C'est ce que j'ai cru longtemps. Après tout, on ne quitte pas son mari et son fils pour rien, pour personne. Il faut qu'il y ait quelqu'un quelque part à qui on puisse se confier, et qui nous fasse oublier. Mais ta mère a toujours nié catégoriquement. Je crois que c'était par délicatesse de sa part. Tu sais, ta mère était une femme d'un grand raffinement.

— Mais cela ne vous a pas paru invraisemblable, qu'elle parte ainsi?

— Oui. Mais que veux-tu? Comment aurais-je pu savoir? Cela s'est passé si vite. Oh ! remarque que j'aurais mille fois préféré, à ce moment-là, connaître la vérité, même la plus douloureuse, plutôt que de vivre dans l'incertitude.

— Mais pourquoi ne pas me l'avoir dit avant? J'aurais pu comprendre, il me semble.

— La mort est inacceptable, mais elle est compréhensible, au moins. Le départ de ta mère, en plus de te paraître inacceptable, t'aurait semblé incompréhensible. J'ai voulu choisir le moindre mal. Je me suis peut-être trompé, j'en conviens, mais j'avais si peur de ta réaction. Tu étais si jeune, et si sensible... J'ai voulu t'épargner.

— C'est vous que vous avez voulu épargner.

— Peut-être bien, au fond. Je cherchais à oublier. Je me suis dit que plus il y aurait de personnes qui croiraient que ta mère était morte, plus il me serait facile de le croire, moi, et qu'à la limite, lorsqu'il y aurait unanimité, cela deviendrait une sorte de fait. C'est un raisonnement qui te paraîtra peut-être absurde et qui l'est sans doute... Mais n'était-ce pas absurde également, n'était-ce pas cruellement absurde que la vie me sépare de la personne que j'aimais le plus au monde, et sans que je puisse rien faire pour la retenir? On dit qu'il faut combattre le feu par le feu. Il faut peut-être aussi se résoudre à combattre l'absurde par l'absurde. Et je craignais que la vérité ne te rende méfiant à l'égard de la vie, de l'amour... Mais je crois que ça a été inutile, de toute manière, parce que Laurence...

— Qu'est-ce que Laurence vient faire là-dedans?

— Je ne sais pas au juste. Mais il faut que je te dise quelque chose. Laurence m'avait fait promettre de ne jamais t'en parler, mais dans les circonstances... Voici la chose. Peu de temps avant que tu ne m'annonces ton divorce, Laurence m'a appelé pour me dire qu'elle voulait me rencontrer. J'ai été surpris un peu parce que, depuis le début de votre mariage, c'était la première fois, je crois, qu'elle m'appelait et c'était certainement la première fois qu'elle m'invitait à dîner. Je dois te dire que j'étais un peu inquiet. Elle avait l'air nerveuse, elle aussi. Je sentais qu'elle avait quelque chose à me dire, mais qu'elle n'osait pas, ou n'arrivait pas à me le dire. Mais dis-moi, est-ce qu'elle a déjà lu ta fameuse lettre?

— Non.

— Et lui en as-tu déjà parlé?

— Non plus.

— Il m'a semblé, pourtant. Parce qu'elle m'a posé des questions qui ressemblaient étrangement à celles que tu m'as posées tout à l'heure. Elle m'a demandé comment était ta mère, si tu avais beaucoup souffert de sa mort... Mais je crois qu'elle a surtout voulu me rencontrer par délicatesse, pour me préparer à la nouvelle, à une nouvelle qu'elle n'a d'ailleurs pas jugé bon de m'annoncer...

— Et qu'est-ce que vous lui avez dit?

— Oh ! Je ne me souviens plus trop. En tout cas, rien de décisif.

— Rien de décisif? Qu'est-ce que vous entendez par là?

— Je veux dire dans sa... ou plutôt dans votre décision de divorcer.

— Qu'est-ce que vous en savez?

— On ne prend pas une telle décision sur la foi d'une conversation aussi anodine.

— Elle ne l'était peut-être pas pour elle.

— Je ne crois pas que cela ait pu être décisif, je te le répète.

— Comment savoir...?

— Mais dis-moi, en aviez-vous parlé avant?

— De quoi?

— De votre décision de divorcer?

— Non, jamais.

— Alors, cela est arrivé comme...

— Comme il y a vingt ans.

— C'est... c'est affreux... Je ne pensais pas que cela avait été aussi subit, aussi brutal...

— Les séparations sont toujours brutales.

— Oui, toujours. Mais j'y pense, je ne voudrais pas te retenir plus longtemps. J'avais complètement oublié que tu avais un avion à prendre. Ne t'ai-je pas déjà mis en retard?

— Non, il me reste encore un peu de temps.

— Tu pars pour longtemps, au fait?

— Le plus longtemps possible.

— Des vacances?

— Non.

— Pas un voyage de travail, au moins?

— Non rassurez-vous. J'ai démissionné.

— Tu as démissionné? C'est récent?

— Ce matin.

— Et c'est définitif?

— Oui.

— As-tu un autre travail en vue?

— Non.

— Qu'est-ce que tu vas faire?

— Je ne sais pas. Je vais me recycler, peut-être.

— Tu n'as tout de même pas l'intention de retourner à l'école?

— Non.

— Oh! tu me rassures, parce que moi, les études, je m'en suis toujours méfié. Et d'ailleurs, tu sais, s'il y a une chose dans laquelle j'ai fait preuve de mesure, c'est bien ça, car je n'en ai jamais abusé. À l'école, j'avais des fourmis dans les jambes. Tu sais, rester des journées assis, à écouter des gens qui n'ont pas réussi, puisqu'ils sont professeurs... Parce que quand on passe sa vie à enseigner les lois du commerce au lieu de gérer les millions qu'on a gagnés, je me dis... Évidemment, il en faut, des professeurs. Il faut tout de même que des gens prennent la relève des bonnes et s'occupent des enfants pendant que nous travaillons.

— Sans doute.

— C'est pour ça que, d'une certaine manière, quand tu m'as annoncé, il y a quelques années, ta décision d'abandonner tes cours, eh bien, le premier mouvement que j'ai eu, c'était un mouvement de fierté. J'ai senti que je te reconnaissais comme mon véritable fils. J'ai fait semblant d'être très contrarié, et j'ai fait mine de ne pas prendre la chose à la légère parce que tu étais mon fils, que j'étais ton père et qu'il y a tout de même des choses qu'un père ne peut pas dire à son fils.

— Oui, je m'en suis aperçu...

— De quoi?

— Votre accueil sévère m'a paru suspect.

171

— Il l'était. Parce qu'au lieu de te disputer j'avais le goût de te serre très fort dans mes bras.

— Vous auriez dû.

— Sans doute. Il y a tant de choses que j'aurais dû faire... Quand j'en fais la somme, je m'aperçois qu'elles sont plus nombreuses que celles que j'ai faites. Et pourtant, je ne me suis pas tourné les pouces. Et c'est curieux, mais plus j'approche de la fin...

— De la fin? Mais pourquoi employez-vous une expression aussi sinistre? Vous avez à peine soixante ans. Il vous reste encore au moins une trentaine de bonne années.

— Non, je suis pas dupe. Elles sont en arrière, les bonnes années, quand j'avais la trentaine, justement.

— Mais vous êtes encore d'une santé de chêne et j'aurais de la difficulté à vous suivre.

— À me suivre... Justement, s'il y a une chose que j'ai regrettée, et je me rappelle que nous en avons précisément parlé le jour où tu m'as annoncé que tu abandonnais tes études, c'est de n'avoir pas insisté assez pour te convaincre d'accepter la proposition que je t'ai faite.

— La proposition de prendre la relève de la compagnie?

— Oui. Je voyais plusieurs belles années devant nous. Il me semblait que nous aurions pu former une équipe formidable, une paire hors pair, si je puis dire.

— Vous n'avez pas eu tort de ne pas insister.

— Ah! je croyais...

— Parce que je n'avais pas la vocation. Et je n'en ai jamais eu aucune pour quoi que ce soit. Et vous, excusez-moi de vous demander ça, mais avez-vous jamais vraiment eu une vocation pour les souliers?

— Non, laissa-t-il tomber d'une manière curieuse qui m'émut singulièrement et me fit regretter ma question.

— Je... Je m'excuse...

— Tu n'as pas à t'excuser... Tu sais, les souliers, pour moi, c'est un peu comme l'association que je t'ai proposée à l'époque. Ce n'était qu'un prétexte, comme toutes les autres choses. Au moment où ta mère est... disparue, il y a quelqu'un qui m'a proposé une affaire. Ce n'était qu'une petite manufacture de souliers qui ne marchait pas... Pas les souliers, la manufacture... Je souffrais tellement d'avoir perdu ta mère et j'étais tellement révolté contre la cruelle absurdité de la vie que je me suis dit: «Voilà une occasion rêvée. Je vais choisir une chose que je juge suprêmement absurde et ennuyeuse, une manufacture de souliers, et je vais m'enfermer dedans comme un forçat, et, à chaque nouvelle paire de souliers que je fabriquerai, ce sera un pas de plus que je ferai pour m'éloigner de cet instant si douloureux.»

— C'est horrible, ce que vous me dites. C'est une sorte de suicide prolongé...

— À l'époque, peut-être. Mais il est venu un temps où j'ai eu des consolations, bien viles, diront certains, matérielles, je dirais, et qui ont des conséquences philosophiques... Tu sais, l'argent ne fait pas le bonheur, bien sûr, en tout cas c'est pratique que la majorité des gens le croient, mais ça facilite les choses. On dit que la liberté est la valeur suprême, et qu'elle n'a pas de prix. Mais elle s'achète, pourtant. Parce qu'il faut avoir de l'argent, énormément d'argent, pour ne plus en être l'esclave, pour ne plus devoir y penser. En tout cas, j'ai compris depuis longtemps que si la liberté des autres ne s'achète pas — même si elle est souvent à vendre — il faut absolument acheter la sienne. Mais je ne vois pas pourquoi je te dis toutes ces choses, pourquoi je te fais toutes ces confidences...

— Je ne sais pas moi non plus, mais je peux vous dire une chose: ça m'a fait plaisir d'une certaine façon, ça m'a rendu heureux. Et ça me fait hésiter.

— Ça te fait hésiter? À quel sujet? Tu as un projet?

— Oui, d'une certaine façon...

— Eh bien, dans ce cas-là, il ne faut jamais hésiter. Au contraire, plonge.

— Plonger?

— Oui, il faut toujours aller de l'avant.

— Sans doute. J'y penserai.

— C'est bien de penser, mais souviens-toi qu'il faut surtout agir.

— Oui, j'en prends note. Mais je voudrais vous dire une dernière chose qui va peut-être vous faire de la peine mais qui en même temps va vous faire plaisir, je crois. Je voudrais vous dire que, jusqu'à ce soir, jusqu'à ce que nous ayons eu cette conversation qui est sans doute...

— Sans doute quoi?

— Sans doute notre première conversation, eh bien, j'ai toujours eu l'impression que j'étais orphelin, pas de ma mère, mais de vous... Je vous ai si mal connu, et vous étiez si absent... Je ne vous en veux pas... Je vous comprends... Vous aviez vos raisons... Je voudrais d'ailleurs vous le prouver en vous disant quelque chose que je ne vous ai jamais dit, et pourtant, vous êtes toute ma famille... Oui, je voudrais vous dire quelque chose que je ne vous ai jamais dit et que j'ai pourtant dit à plusieurs étrangers, à des étrangères, j'entends: je t'aime.

— Moi aussi, je t'aime. Et je me rends compte que c'est également la première fois que je te le dis. Décidément, c'est un soir de première, car je crois que c'est la

174

première fois que je t'entends me tutoyer. Tu aurais pu le faire bien avant, tu sais...

— Oui, c'est l'éducation sans doute.

— Je t'en ai peu donnée, pourtant.

— C'est vrai, tu as été sympathique, à ce sujet.

— J'ai fait mon possible. En tout cas, fais bon voyage, et embrasse bien ta nouvelle amie pour moi.

— Oui, c'est promis.

— Et n'oublie pas de m'envoyer des cartes postales.

— Non.

Et je raccrochai lentement le récepteur. Je restai un moment à considérer la lettre de ma mère. Je la relus, bien inutilement car depuis longtemps je la savais par coeur. Je la repliai, je la remis dans son enveloppe. Je me levai pour aller au balcon. Je jetai la lettre. Et je descendis à la salle à manger.

2

— Vous êtes encore ici? demandai-je au maître
d'hôtel qui me conduisit à ma table et était le même que
celui qui m'avait amené à ma chambre.

— Jusqu'à minuit ce soir, Monsieur, pour vous servir, dit-il très poliment. J'ai mis le couvert pour deux.

— C'est bien, c'est ce que j'avais demandé. Madame
arrivera plus tard. Apportez-moi du champagne, immédiatement, j'ai soif.

— Très bien, Monsieur.

J'avais pris en passant une copie du *Devoir*. Je le par-
courus, par désœuvrement. Le maître d'hôtel revint.

— Versez-en dans les deux coupes, exigeai-je.

— Très bien, Monsieur. Beau pays, la Suisse, dit-il
en complétant le service.

— Oui, mais beaucoup de brume.

— De la brume?

— Oui, à cause de la Tamise. C'est pour cette raison
que je suis devenu ambassadeur. Et aussi à cause des vol-
cans, qui sont très nombreux là-bas, vu le nombre de
montagnes.

— Je vois, c'est une sage décision.

— Avez-vous du papier?

— Du papier à lettres?

— Non, c'est pour une prescription médicale.

— Monsieur est médecin?

— Non, c'est une prescription que j'ai déjà eue.

— Que vous avez déjà eue?

— Oui. Je veux du papier à cigarettes.

— Du papier à cigarettes?

— Oui. Ça vous déplaît?

— Ce n'est pas que ça me déplaît, mais je crois que nous n'en avons pas. Mais nous avons, par contre, plusieurs marques de cigarettes, toutes excellentes.

— Il me faut du papier.

— Je vais essayer d'en trouver.

— N'essayez pas, trouvez-en ! Voici de l'argent, lui dis-je en lui tendant un billet.

— Très bien, Monsieur, dit-il pour s'éloigner aussitôt.

Je profitai de son absence pour tirer de la poche de mon veston ma blague à tabac. Pour m'amuser, je l'ouvris fort délicatement, comme si elle eût renfermé un mélange très rare, et j'en humai le contenu avec une préciosité volontairement ostentatoire. Le maître d'hôtel ne tarda pas à revenir avec un petit plateau d'argent qu'il me présenta en s'inclinant cérémonieusement, non sans une certaine obséquiosité.

— Voici le papier que vous m'aviez demandé. Cependant, je n'ai pas de monnaie pour votre billet de cent dollars, mais si Monsieur voulait attendre deux minutes, je viendrais lui rapporter les quatre-vingt-dix-neuf dollars qui lui reviennent.

— Et qu'est-ce que je ferai, dans deux minutes, avec quatre-vingt-dix-neuf dollars?

— La question se pose, en effet. Je n'y avais pas pensé.

— Eh bien, n'y pensez pas, mon ami. Parce que, de toute manière, depuis que j'ai six ans, c'est-à-dire depuis l'âge où mon père a commencé à me donner de l'argent de poche, je n'ai jamais gardé de petites coupures sur moi.

— Oui, je comprends, et je vous remercie infiniment.

— Ne me remerciez pas, ce n'est rien, rien du tout, simplement une question d'éducation.

— Est-ce que je peux vous poser une question? me demanda alors le maître d'hôtel en me voyant me rouler une cigarette de *pot*. C'est par simple curiosité, parce que mon défunt père était grand amateur de tabac et je ne me rappelle pas lui avoir jamais vu fumer un tel tabac. Qu'est-ce que c'est?

— C'est pour ma prescription médicale, je vous l'ai dit. C'est une herbe médicinale qui est cultivée chez nous, en Suisse, dans les marais de la Tamise.

— Les marais de la Tamise?

— Oui, là où il y a beaucoup de brume.

— Ah oui ! je me replace.

Je finis de le rouler et je l'allume immédiatement.

— C'est étonnant, mais si vous n'étiez pas ambassadeur, je me dirais que...

— Vous vous diriez quoi?

— Rien. Tout simplement, je... je me disais en fait que ce... comment dire?... ce tabac ressemble étrangement à celui que mon fils a rapporté une fois de l'école...

— Voulez-vous mettre en doute la compétence de mon médecin? Sachez que c'est lui qui est le médecin de la maison royale en Suisse. Et il a prescrit une dose quotidienne de cette médecine au roi Louis de Bavière qui se porte à merveille depuis.

— Je m'excuse, je n'ai pas voulu mettre en doute la compétence de votre médecin, c'est simplement une réflexion que je me faisais.

— Vous avez l'air encore sceptique, de toute manière. Je vais vous faire fumer. Vous allez voir, ça va vous convaincre.

— Mais qu'est-ce que ça fait? demanda le maître d'hôtel qui paraissait s'inquiéter.

— Vous allez voir, c'est formidable, ça va vous guérir dans le temps de le dire.

— Mais je ne suis pas malade.

— Ça va venir, vous allez voir.

— Qu'est-ce que vous voulez dire?

— Je veux dire que, dans le monde d'aujourd'hui, tout se passe si vite qu'on peut tomber malade en un rien de temps. C'est pour ça que la médecine d'aujourd'hui, c'est comme le crédit: achetez aujourd'hui, payez demain. Maintenant, c'est: soignez-vous aujourd'hui et tombez malade demain. Vous comprenez, c'est la médecine préventive.

— Oui, je comprends, mais je me sens très bien.

— Attendez, soyez patient. Faites-moi confiance. Et puis n'oubliez pas qu'il n'y a pas seulement les maladies subites, il y a les rechutes. Avez-vous pensé aux rechutes?

— Euh... À vrai dire, non, pas vraiment.

— Mais n'avez-vous pas été malade récemment?

— Justement, le mois dernier, j'ai fait une bronchite.

— Mais oui, il me semblait, vous avez le teint pâle et la voix encore rauque. Vous avez dû tousser beaucoup?

— Oui, justement, dit avec étonnement le maître d'hôtel.

— Et vous avez fait un peu de fièvre et vous vous sentiez faible? Et surtout, vous ne vous sentiez pas très à l'aise au niveau des poumons?

— Mais oui, mais oui, c'est exactement ça. Comment avez-vous fait pour le deviner?

— Mais c'est élémentaire, mon bon ami. Je m'en suis aperçu au premier coup d'oeil. Je n'ai pas voulu vous en parler tout de suite, pour ne pas vous inquiéter. Mais maintenant, je vous le dis, vous n'avez plus une minute à perdre.

— Vous croyez? dit le maître d'hôtel, visiblement alarmé.

— J'en suis persuadé. Vous allez fumer ce... cette prescription, et vous allez voir comme ça vous libère les poumons et comme ça vous dégage la voix. Croyez-moi, vous allez parler avec une facilité déconcertante.

— Il y a seulement un problème: mon médecin m'a strictement interdit l'usage du tabac.

— Aucun problème. Ce n'est pas du tabac. Et puis, vous allez voir, quand vous aurez fumé ça, vous n'aurez plus jamais le goût de fumer du simple tabac.

— Bon, si vous le dites, dit non sans scepticisme le maître d'hôtel. Mais comment fait-on?

— C'est très simple: vous aspirez une grande bouffée puis vous fermez bien les lèvres et vous comptez jusqu'à dix mentalement, en tout cas, si vous pouvez. Puis vous expirez.

— Bon, je comprends, mais vous êtes sûr qu'il n'y a aucun danger, même pour les poumons?

— Non, soyez sans crainte. Je vous assure qu'au bout de trois bouffées vous ne penserez plus du tout à votre bronchite. Tenez, essayez, lui dis-je en lui tendant le *joint* que je venais d'allumer et dont la fumée odorante se répandait déjà au-dessus de la table.

Et c'est ainsi que le maître d'hôtel, au vu et au su de tous les clients, se mit innocemment à «fumer».

— C'est... c'est... c'est exactement comme vous me l'aviez dit, me dit bientôt le maître d'hôtel dont les yeux s'étaient allumés d'un éclat nouveau et qui parlait avec une volubilité surprenante. Je ne sais pas, je me sens la voix tout à fait dégagée, c'est inouï. Si je vous dis ça, c'est parce que quand j'étais jeune je trouvais souvent que mon père n'avait pas raison de dire à ma mère de m'empêcher d'aller au cinéma parce que je n'avais pas encore dix-huit ans même si je les paraissais depuis l'âge de treize ans, et ça me fait penser à autre chose justement quand je regarde votre verre de champagne, je me dis que c'est drôle quand même, vous venez de Suisse, vous êtes assis à une table et vous avez bu une coupe de champagne, et ça ne vous a pas empêché d'être ambassadeur. Est-ce que vous pensez, en conséquence, que je devrais acheter un autre billet de loterie?

— Oui, et je pense que le traitement a agi. Vous êtes guéri. Pour fêter ça, je vais même vous l'offrir, votre billet. Tenez, voici cent dollars.

— Cent dollars ! dit à très haute voix le maître d'hôtel qui, acceptant le billet que je lui tendais, eut de la peine à réprimer son fou rire. C'est trop drôle, dit-il, secoué de convulsions, je ne peux pas le dire... Mais il faut pourtant...

Mais avant, il porta le billet à son nez avec un air alternant rapidement entre la circonspection et le ravissement et il dit, ponctuant ses paroles de ricanements involontaires:

— On dit que l'argent n'a pas d'odeur, mais c'est faux, parce qu'un billet de cent, ça sent !

Et il éclata à nouveau d'un rire tonitruant, prodigieusement amusé par son calembour.

— Vous seriez mieux de ne pas vous attarder, parce que j'ai entendu le système d'alarme se déclencher, lui dis-je en ayant peine à dissimuler mon amusement et en affectant un air d'un sérieux extrême.

— Le système d'alarme? dit le maître d'hôtel qui, subitement, perdit son exubérante bonne humeur et devint extrêmement grave.

— Oui, il y a un agent secret de Russie, déguisé en touriste, qui a réussi à déchiffrer ce qui était écrit dans le menu.

— Où est-il?

— On l'interroge à la cuisine.

— J'y vais immédiatement.

Il y avait à la table voisine une jeune femme très belle, très mince, très grande. Elle devait avoir vingt-cinq ans. Imaginez des cheveux châtains, abondants, très bouclés, des yeux noisette, très lumineux et très rieurs, un petit nez légèrement retroussé et très mignon. Ça fait beaucoup de «très» pour décrire quelques traits, me direz-vous? Sans doute. Mais je me sentais excessif en ces instants. Et, en premier lieu, excessivement malheureux. Ma voisine paraissait en plus très éméchée. Il y avait devant elle une bouteille de champagne presque vide. Elle était vêtue simplement, avec une élégance discrète: un pantalon de velours foncé, une chemise de satin pâle. Elle avait observé la scène qui venait de se dérouler avec le maître d'hôtel. Elle riait tout doucement.

— Est-ce que ça vous arrive souvent de vous moquer ainsi des maîtres d'hôtel?

— Non. Et vous, ça vous arrive souvent de parler à des inconnus?

— Non.

— Êtes-vous seule?

— Oui. Et vous?

— Je m'efforce de l'être.

— Le couvert est mis pour deux, il me semble...

— En effet.

— Un rendez-vous manqué?

— Non.

— Pourtant, il me semble vous avoir entendu dire au maître d'hôtel tout à l'heure...

— Vous écoutez aux tables?

— Non, mais je n'ai pas pu faire autrement...

— Je vous attendais.

— Vous m'attendiez, moi?

— Non, c'est faux. Mais voulez-vous vous asseoir avec moi?

— Je ne vous dérange pas?

— Vous me dérangez, mais c'est sans grande importance.

Le caractère inattendu de ma réplique parut refroidir ma voisine qui, s'apprêtant à se lever, se ravisa.

— Si vous préférez... dit-elle.

— Non, j'insiste.

— Vous en êtes sûr?

— Oui. Absolument.

— Bon, dans ce cas...

Et lorsqu'elle se fut assise, je lui demandai:

— Vous êtes en vacances ici?

— Non.

— Vous êtes de Montréal?

— Oui.

— Vous avez pris une chambre ici?

— Oui.

— Pour quelle raison?

— Je ne sais pas. Par fantaisie.

Sur ces entrefaites, le maître d'hôtel revint de la cuisine. Il paraissait s'être calmé. Il semblait embarrassé,

184

comme s'il se doutait d'avoir été victime d'une mauvaise plaisanterie.

— Nous n'avons pas retrouvé l'espion, Monsieur, me dit-il.

— Je sais bien. Je l'ai vu qui s'enfuyait à l'instant.

— C'est vrai?

— Mais oui, puisque je vous le dis.

— C'est curieux. Je croyais pourtant que nous avions bouché toutes les issues.

— Ils sont habiles, les Russes.

— En effet. Nous allons prendre des mesures. Mais je vois que Madame est arrivée.

— Vous voyez bien, répliquai-je.

— Est-ce que vous avez décidé ce que vous alliez prendre? demanda le maître d'hôtel.

— Moi, je ne prendrai rien, dit ma voisine. J'ai beaucoup bu... Je craindrais...

— Je ne prendrai rien, moi non plus. Je n'ai plus faim tout à coup. Nous allons nous contenter de finir nos verres.

— Très bien, Monsieur, dit le maître d'hôtel qui se retira en emportant les menus.

Ma voisine me sourit. Pour la première fois, je crois, elle qui m'avait semblé si audacieuse, si sûre d'elle-même, me paraissait embarrassée. Je rompis bientôt le silence pour dire:

— Comme ça, vous avez loué une chambre pour un soir, par pure fantaisie.

— Oui.

— C'est curieux quand même.

— Vous trouvez?

— Oui. Est-ce que ça vous arrive souvent?

— Non, c'est la première fois.

— Mais il doit bien y avoir une raison.

— Non, pure fantaisie.

— Et vous êtes vraiment seule? Vous n'attendez personne?

— Non, personne.

— Ah! je vois. Mais nous parlons comme ça depuis quelques minutes déjà et je ne me suis même pas présenté encore. Je m'appelle Pierre Chagnon, ex-journaliste, ex-publiciste.

— Vous n'êtes pas ambassadeur, alors?

— Non, c'était une histoire.

— Il me semblait aussi que vous n'aviez pas l'air vraiment riche malgré votre *tuxedo* et vos extravagances.

— Comment, je n'avais pas l'air vraiment riche?

— Je ne sais pas, vous aviez l'air sympathique.

— Ah ! je vois. Mais vous?

— Moi, je suis comédienne.

— Comédienne? Ah ! c'est intéressant. Justement, c'est un hasard inouï mais j'étais en train de lire un article dans *Le Devoir* au sujet d'une comédienne qui est disparue.

— Ah ! c'est drôle...

— Vous la connaissez peut-être. Attendez: Je vais vous lire l'article, c'est vraiment intéressant. Elle s'est suicidée.

— Elle s'est suicidée et c'est ce que vous trouvez intéressant?

— Ce sont les circonstances, vous allez voir. Je vous lis l'article. Mais avant, si vous voulez, permettez-moi de vous tutoyer.

— Naturellement.

— Alors, je te lis l'article.

Je pris *Le Devoir* et lus:

— «Une jeune femme de vingt-cinq ans, Marie-Laure Laforêt, s'est suicidée en se jetant dans le fleuve

186

Saint-Laurent, vraisemblablement du haut du pont Jacques-Cartier. C'est du moins ce que présume le sergent détective Pierre Préfontaine, à qui se sont confiés les parents éplorés de la malheureuse victime. En effet, ils sont entrés en contact avec lui pour lui apprendre que leur fille leur avait laissé une lettre qui ne fait aucun doute au sujet de ses intentions. Voici d'ailleurs le contenu de cette lettre dramatique que nous citons in extenso pour le bénéfice de nos lecteurs: «Mes chers parents, je veux que vous soyez calmes lorsque vous lirez cette lettre parce que ce que je vais vous annoncer n'a au fond rien de dramatique et est la conséquence lucide et logique de calmes réflexions. Je ne pouvais plus supporter davantage la vie. Mon travail me pesait. Je n'ai rien contre les médecins, je n'ai rien contre les secrétaires, mais je sais que je ne suis pas faite pour être secrétaire médicale. D'ailleurs, je sais que je ne suis faite pour aucun travail, sinon le théâtre. Je sais que, dans les circonstances que nous vivions, cela était impossible. Je ne vous accuse de rien, pourtant. Je sais que vous ne pouviez comprendre mes aspirations. Nous vivions dans deux mondes totalement différents. Il y a autre chose. Le bonheur que j'entrevoyais était trop lointain. Beaucoup trop. Les choses n'ont pas tourné comme j'aurais voulu. Au moment où vous lirez cette lettre, je ne serai plus de ce monde depuis longtemps. J'aurai fait ma dernière promenade, j'aurai vu pour la dernière fois les arbres, les enfants dans les rues, le fleuve Saint-Laurent et le pont Jacques-Cartier. L'eau sera mon dernier séjour. Ne soyez pas tristes, je vous en supplie. J'étais triste de vivre, il est heureux que je meure. La mort n'est pas un malheur en soi dès lors qu'elle vient mettre un terme à une vie malheureuse. Et puis, de toute manière, nous y sommes tous condamnés. Soyez heureux, Adieu. Votre fille qui vous aime.»

Je m'interrompis. Ma voisine ne disait rien. Son visage était sans expression. Je poursuivis ma lecture, toujours à haute voix:

— «Les parents n'ont malheureusement pas eu la réaction que la jeune femme souhaitait. Ils paraissaient en effet bouleversés, et ont déclaré à la police qu'ils se sentaient coupables du suicide de leur fille et qu'ils n'auraient jamais imaginé qu'elle aurait posé un tel acte. Quant à son fiancé...» et le reste et le reste...

— Son fiancé?

— Oui, elle avait un fiancé, apparemment.

— Mais... Qu'est-ce qu'il a dit? Est-ce qu'il a été interrogé?

— Attends, je vais te lire la suite de l'article:

— «Quant à son fiancé, qui devra remettre le voyage qu'il devait entreprendre à Paris dès demain, il a pu être rejoint par la police et il a affirmé qu'il n'avait pas été surpris d'apprendre cette nouvelle même s'il en avait été bouleversé. Il a en effet appris à la police que ce n'était pas la première fois que sa fiancée lui parlait du suicide. Elle lui aurait souvent fait ce qu'il a appelé du chantage au suicide dès qu'il y avait un différend entre eux.»

— Chantage au suicide? Il a dit ça?

— Oui. En tout cas, c'est ce qui est écrit.

— C'est un salaud.

— Un salaud? Mais pourquoi dis-tu ça?

— Je ne sais pas. Il me semble qu'il ne devrait pas parler ainsi de sa fiancée qui s'est suicidée.

— Il dit peut-être la vérité, tout simplement.

— Peu importe, je trouve ça un manque de respect.

— Tu as raison. Et de toute manière, cette femme, moi, je l'admire.

— Tu l'admires?

— Oui, je trouve qu'elle a du courage. Elle a, en tout cas, plus de courage que la plupart des gens, parce qu'elle n'a pas accepté de faire des compromis, comme tous ceux qui passent leur vie à faire un travail qu'ils n'aiment pas.

— Le courage véritable, tu ne trouves pas que c'est de vivre?

— Pas quand la vie est insupportable. Continuer à vivre, c'est alors de la lâcheté.

— Et ceux qui restent?

— Ceux qui restent?

— Oui. Tu ne penses pas à eux, par exemple, les parents de cette fille?

— C'est de leur faute.

— Non, ne dis pas ça.

— Oui, c'est de leur faute. Ils n'avaient qu'à mieux la comprendre et à mieux l'accepter. Quoi qu'il en soit, je l'admire, cette femme. Elle a eu le courage de cesser de faire, par exemple, ce que tous les gens qui sont ici font, c'est-à-dire de faire semblant d'être heureux.

— Ils ne font pas nécessairement semblant d'être heureux, ils le sont peut-être, rétorqua ma voisine.

— Ils ne seraient pas aussi bruyants et ils ne se saouleraient pas tant.

— Tu as passablement bu, toi aussi.

— Je n'ai jamais prétendu que j'étais heureux.

— Non, c'est vrai.

— Tu me déranges.

— Je...

— J'avais quelque chose d'important à faire.

— Un rendez-vous? Mais tu ne m'avais pas dit tout à l'heure...

— C'est exact...

— Je peux te quitter...

— Non, je te remercie, on m'a déjà assez quitté ce soir.

— C'est à cause d'une femme que tu es ici?

— Une femme?

— Oui, je veux dire une femme qui t'a quitté.

— Non, je plaisantais. D'ailleurs, personne ne quitte jamais personne en dehors des romans à l'eau de rose.

— Je ne savais pas.

— Tu n'as jamais vécu?

— Non, je n'ai jamais lu de roman à l'eau de rose.

— Ah ! tu n'as donc pas d'illusions, tu sais donc qu'il n'y a jamais de rupture, puisqu'on est toujours seul.

Ma compagne eut un sourire triste, qu'elle réprima bien vite pour dire:

— Pourtant, parfois, en certains instants, on a l'impression...

— Ce n'est qu'une impression, tu l'as bien dit...

— Et aussi, il y a des ruptures si douloureuses parfois qu'on a le sentiment qu'on n'était pas seul avant. Sinon, pourquoi se sentirait-on aussi seul après?

— Parce que les autres nous font oublier que nous existons, et, du même coup, que nous sommes seuls. Mais ce n'est qu'un oubli.

— Pourquoi m'avoir invitée, à l'instant?

— Pour rien. Par désabusement. Je ne me sens pas moins seul qu'avant. Au contraire.

— C'est très aimable. Je vais m'en aller, si tu veux. Il est inutile de prolonger une telle conversation.

— Non, reste.

— Je ne vois vraiment pas pour quelle raison, dans de telles conditions.

— Je te le demande.

— As-tu l'intention de continuer d'être déplaisant de manière aussi systématique?

— M'aimes-tu?

— Si je t'aime?

— Oui, es-tu amoureuse de moi?

— Quelle drôle de question. Nous nous connaissons depuis dix minutes à peine.

— Le temps n'a aucune espèce d'importance.

— Oui, je veux bien croire, mais tout de même...

— Réponds à ma question.

— Eh bien, non, je ne t'aime pas. Ce qui ne veut pas dire que tu me déplaises, au contraire. Mais pourquoi me poses-tu des questions aussi absurdes?

— Parce que l'amour est absurde. Mais je ne t'ai même pas demandé ton nom. Comment t'appelles-tu?

— Martine.

— Martine qui?

— Laforêt.

— C'est curieux. Tu n'es pas parente avec la comédienne qui s'est suicidée?

— Je suis la seule comédienne de ma famille.

— Ah ! Je vois. Ç'aurait été un hasard plutôt extraordinaire. Et tu n'as jamais eu, comme elle, l'idée...

— Non, jamais.

— Pour quelle raison?

— Je ne sais pas. Il y a la vie, l'amour...

— Il est si éphémère.

— Il faut tenter sa chance quand même...

— Tu y crois vraiment?

— Oui.

— Tu ne penses pas plutôt qu'il faut arrêter de croire à la loterie, que la lucidité, c'est de faire comme cette jeune comédienne?

— Non. Elle avait peut-être devant elle des années de bonheur qu'elle ne vivra jamais à cause d'un geste irraisonné qu'elle n'aurait pas posé quelques heures plus tard.

— Elle a eu raison. On a toujours raison d'aller jusqu'au bout, surtout si c'est au bout de son suicide.

— Tu prends la vie trop au sérieux, et la mort aussi. Tu y penses beaucoup trop. Il n'y a pas que cela, dans la vie, le suicide.

— En tout cas, il n'y a pas beaucoup de suicides réussis dans une seule vie.

Martine sourit:

— Tu vois que tu n'es pas si malheureux. Tu prends encore la liberté de faire un mot.

— Quand les mots sont la seule liberté qu'il nous reste.

— Tu m'amuses.

— C'est vrai?

— Oui.

— Tu es bien la seule personne au monde que j'amuse. Moi, en tout cas, il y a longtemps que je ne m'amuse plus. Mais tu vas m'excuser, maintenant, je dois être seul. Je vais retourner à ma chambre. Je crois qu'il est inutile que nous cherchions à prolonger cette conversation. Ça m'a fait plaisir de te rencontrer.

Et, là-dessus, je pris mon journal et me levai.

— Non, attends. Dis-moi, avant, pourquoi as-tu pris une chambre ici, ce soir, si tu n'es pas ambassadeur?

— Je ne sais pas.

— Tu es de Montréal?

— Oui.

— Et tu n'es donc pas en vacances?

— Non.

— Alors?

— Je voulais réfléchir.

— Drôle de mise en scène pour réfléchir. Et à quoi voulais-tu réfléchir?

— À mon avenir, à ma vie.

— Et à ta mort, aussi, n'est-ce pas?

— Non.

— Je ne te crois pas.

— Peu importe. Bonsoir.

— Attends. Ne pars pas comme ça. Je vais t'accompagner jusqu'à ta chambre. Je ne veux pas te laisser seul.

— Je regrette, mais j'ai besoin d'être seul pour faire ce que j'ai à faire.

— Te jeter du haut de ton balcon?

— Non. De toute manière, je n'en aurais même pas la force.

— Mais tu en as envie?

— Non plus.

— Je ne te crois pas.

— Je te le promets.

— Que vaut la promesse d'un homme qui n'aura jamais à en rendre compte?

— En effet. Mais de toute manière, je te le dis, j'ai besoin de réfléchir.

— Je ne te dérangerai pas. Je vais te laisser réfléchir. Je vais m'asseoir dans un coin et je ne dirai rien.

— Ta présence me gênerait. Et elle me serait inutile, de toute manière.

— Et si je te disais...

— Si tu me disais quoi?

— Que c'est moi qui te demande de ne pas me laisser seule, quelques instants...

— Mais ta belle confiance dans la vie...

— Je ne me sens pas très bien, ce soir. C'est peut-être le champagne, mais j'aurais besoin d'une présence... Je ne peux pas t'expliquer. Je te demande de me croire sur parole...

— Et pourquoi accepterais-je?

— Par amitié, je ne sais pas.

— Nous ne sommes pas amis, nous nous connaissons à peine.

— C'est exact. Mais par fraternité, peut-être?

— Ça existe, entre un homme et une femme?

— Je ne sais pas. On pourrait essayer de l'inventer, en tout cas.

— Je n'y crois pas. Mais si tu veux...

— Tu acceptes?

— Oui. Mais quelques instants seulement.

3

— C'est une vraie glacière, ici, dit Martine en entrant dans la chambre.

Et elle aperçut alors la porte du balcon qui était restée ouverte.

— Il me semblait, aussi... se contenta-t-elle de dire. Je vais aller fermer.

Ce qu'elle fit. Elle revint ensuite près de moi et me regarda, souriante.

— C'est drôle que nous nous retrouvions ici, tout seuls, dans une chambre, lui dis-je. Nous nous connaissons à peine depuis une demi-heure.

— C'est vrai, acquiesça Martine, c'est curieux.

— Laisse-moi te regarder un peu, lui dis-je en prenant son visage.

J'eus alors une illumination.

— Mais c'est inouï ! C'est inouï !

— Qu'est-ce qui est inouï? me demanda avec inquiétude Martine.

— Mais toi ! Ton visage ! Je viens de m'apercevoir que tu es le sosie même de la comédienne qui s'est suicidée. D'ailleurs, attends...

Je pris le journal que j'avais jeté sur une chaise en entrant et observai la photographie de la jeune femme qui y avait été reproduite.

— Mais c'est toi, c'est exactement toi ! Qu'est-ce que tu fais ici? Tu ne t'es pas suicidée?

Martine ne parlait pas.

— Tu ne dis rien? Explique-toi, parle.

— Je...

— Tu m'as menti, tu m'as raconté une histoire.

— Attends, je vais t'expliquer, tu vas comprendre.

— Elle est bien bonne, celle-là. Toi qui me parles depuis tout à l'heure de la beauté de la vie et du bonheur... Et tu as voulu te suicider...

— Non, c'est faux, ce n'est pas ce que tu penses. Je voulais faire du théâtre, ma famille ne voulait pas. J'ai imaginé une mise en scène qui me permettrait de me débarrasser de ma famille. J'ai imaginé cette fausse tentative de suicide. Je ne voulais plus exister pour personne pendant quelques semaines.

— Tu penses que je vais croire ton histoire?

— Pourquoi pas? C'est la vérité.

— C'est invraisemblable, c'est cousu de fil blanc. On ne fait pas semblant de se suicider pour se débarrasser de sa famille. On la quitte, tout simplement.

— Oui, mais elle ne nous quitte jamais, elle.

— C'est une solution beaucoup trop extrême. Je n'y crois pas. Tu as pleuré beaucoup, n'est-ce pas?

— J'ai pleuré?

— Oui, quand ton fiancé t'a annoncé qu'il te quittait.

— Il ne m'a pas...

— Allez, dis-le, parle.

— Pourquoi t'acharnes-tu ainsi contre moi, Pierre?

— Je veux savoir la vérité.

— Eh bien oui, c'est vrai, j'ai voulu mourir, à cause de lui. C'est vrai. Il m'a quittée parce que je n'étais pas assez bien pour lui, parce qu'il avait rencontré une femme qui était ingénieur comme lui. Oui, je me suis révoltée, j'ai trouvé la vie trop injuste et j'ai voulu me tuer, je l'ai voulu plus que toute chose au monde. Mais quand je suis arrivée près de l'eau, je ne sais pas, il y a quelque chose en moi qui s'est révolté contre la mort, peut-être parce qu'il y avait des enfants qui jouaient. Tu es content, maintenant?

— Je m'excuse, je ne pensais pas, bafouillai-je.

— Ne t'excuse pas. Parce qu'au fond, quand j'y repense, j'aurais été stupide de me suicider pour lui. C'était un égoïste, en admiration devant sa petite personne. Il faisait tous les jours des haltères, mais, il oubliait la plupart du temps de se laver. Je ne sais pas si c'est sa propre odeur — sa sale odeur, devrais-je dire — qui l'excitait, mais en tout cas, quand nous faisions l'amour, il jouissait au bout de vingt secondes. C'est elle qui va être prise avec lui, maintenant. Heureusement qu'elle est ingénieur. Parce que j'ai l'impression qu'elle va avoir besoin de tout son génie pour régler son problème.

— Oui, en effet... mais la lettre?

— Je ne voulais pas que mon fiancé s'enorgueillisse de ce qu'une femme ait voulu se tuer pour lui.

— Je vois, je vois.

— Excuse-moi. Je vais peut-être te sembler un peu crue encore une fois et je ne voudrais pas que tu penses que je suis une... Je ne veux pas que tu penses que c'est dans mes habitudes... C'est même la première fois que ça m'arrive. Je te le demande par amitié ou par fraternité, si tu préfères. J'ai besoin qu'un homme m'aime ce soir... Veux-tu faire l'amour?

— Je...

— Je ne te plais pas?

— Au contraire.

— Je te plais, alors?

— Oui, beaucoup, mais...

— Mais quoi?

— Je ne sais pas, je n'ai pas le coeur à ça, et puis qu'est-ce que ça donnerait? Qu'est-ce que ça va changer que nous passions la nuit ensemble? Demain, est-ce que nous serons plus avancés?

— Demain n'existe pas. Il y a seulement cette nuit, et nous deux. Le reste n'a pas d'importance.

— C'est facile à dire.

— Et ce n'est pas si difficile à faire...

— Et ma résolution?

— Quelle résolution?

— Celle d'arrêter de vivre.

— Tu voulais te suicider, alors?

— Oui.

— Eh bien, justement, cette nuit, c'est l'occasion idéale, nous allons faire comme si la nuit était arrêtée.

— Mais après... Il n'y a plus rien qui m'intéresse, c'est trop absurde...

— Demain n'existe pas, je te l'ai dit.

— Mais Laurence, dis-je en un lapsus malheureux.

— Ce n'est pas Laurence, mon nom, c'est Marie-Laure.

— Je m'excuse...

— Ce n'est pas grave, j'ai l'habitude. On ne peut jamais être seule avec un homme. Et ma proposition?

— Ta proposition?

— Oui, tu l'acceptes?

— Oui. Tout compte fait, ce n'est pas une mauvaise idée. Nous pourrions peut-être nous étendre, seulement pour échanger un peu de tendresse.

— Ne sois pas si pessimiste.

On se déshabilla en hâte, mais timidement, chacun de son côté, et on se coucha. Nous allions nous embrasser lorsqu'on frappa à la porte, ce qui, dans l'état de tension où nous étions, nous fit tous deux tressaillir.

— Qu'est-ce qu'on fait? demandai-je.

— On ne fait rien, on laisse frapper, c'est tout.

— Mais on ne peut pas. Ils vont se poser des questions, surtout après ce que je leur ai raconté.

— Attends, j'ai une idée, dit Marie-Laure qui se tourna vers la porte et cria, avec une conviction qui m'étonna:

— Ne nous dérangez pas, Monsieur est en train de me fouetter. S'il s'arrête avant le centième coup, il va devoir recommencer à zéro !

Il n'y eut pas de réponse. Seulement des pas qui s'éloignaient promptement.

— Elle est bonne, celle-là. Mais dis-moi, où as-tu appris à faire des répliques pareilles?

— Au théâtre. Je suis comédienne, je te l'ai dit. Et il y a le champagne, aussi...

— Oui, évidemment, mais je crois que...

— Ne dis plus rien, ne dis plus rien, répéta Marie-Laure. Embrasse-moi, maintenant.

J'obtempérai. Et nous fîmes l'amour, passionnément, avec ivresse, avec toute la fébrilité et la maladresse d'une première nuit. Ce furent des coups à la porte qui nous réveillèrent, le lendemain matin.

— Que faisons-nous? demandai-je. Je n'avais pas l'intention de me réveiller ici.

— Moi non plus, à vrai dire.

— Je n'ai plus un sou.

— Est-ce qu'on répond?

Je n'eus pas le temps de répondre à la question de Marie-Laure, ni à la porte, car elle s'ouvrit. La femme de chambre entra avec de la lingerie, l'air très affairé. Elle ne remarqua pas tout de suite notre présence. Marie-Laure émit volontairement un léger toussotement. La femme de chambre sursauta violemment.

— Oh ! excusez-moi, je suis confite.

— Ne vous inquiétez pas, ce doit être la confiture que vous avez mangée ce matin, dis-je.

— Je n'en ai pas mangé mais je croyais quand même que vous aviez quitté la chambre. Il est déjà onze heures quinze.

— C'est que... nous n'avons pas pensé de mettre le réveil.

— Ce n'est pas grave, dit très gentiment la femme de chambre. Vous avez bien fait. C'est quand on est jeune qu'on doit en profiter pour faire les choses sans penser. Après, on passe son temps à penser aux choses qu'on n'a pas pu faire.

— Vous êtes bien gentille, Madame.

— Ah ! ce n'est rien. Et puis, Monsieur, je comprends pourquoi vous n'avez pas eu besoin de Balzac et encore moins de Robbe-Grillet, hier soir. Vous avez trouvé beaucoup mieux. Je vous félicite.

— Mais pour la chambre? dit Marie-Laure.

— Ne vous inquiétez pas, je reviendrai plus tard. Peut-être avez-vous encore des choses à vous dire ou à vous redire. Vingt minutes, ça vous irait? Non, ce n'est pas assez, reprit-elle immédiatement comme pour elle-même. Pour Monsieur, peut-être. Mais pas pour Madame. Nous, les femmes, on aime toujours ça avoir des explications plus complètes, n'est-ce pas?

— Vous êtes bien gentille, Madame, dit Marie-Laure.

200

— Alors, je vous laisse et je reviens dans une demi-heure. C'est le plus que je puisse vous accorder, parce qu'après il y a les nouveaux clients qui peuvent arriver.

— C'est compris.

Elle sortit.

— Je me demande bien ce que nous allons faire, dis-je. Il faut penser vite, en tout cas.

Marie-Laure ne répondit pas. Elle s'était levée et se rhabillait, l'air extrêmement préoccupée.

— Tu as l'air tracassée, lui dis-je. Tu cherches une solution à notre problème?

— Non.

— Alors, à quoi penses-tu?

— À rien.

— Tu as l'air préoccupée, pourtant. Je suis sûr qu'il y a quelque chose.

— Non, je t'assure. Il n'y a rien.

— Ça ne t'a pas plu, hier?

— Non, au contraire. C'était très bien.

— Alors, qu'est-ce que tu as? Est-ce que tu as bien dormi?

— Tu ne crois pas que c'est plutôt moi qui devrais te poser cette question?

— Non. J'ai très bien dormi.

— Est-ce que tu as déjà fait des crises de somnambulisme?

— Non. En fait, pas que je sache. Mais quel rapport? Est-ce que je me suis levé cette nuit?

— Oui.

— Je me suis levé?

— Oui, je viens de te le dire.

— C'est bien possible, je crois en effet que je suis allé à la toilette, j'avais tellement bu de champagne. Il faut rendre à César ce qui est à César, hein?

— Tu n'es pas allé à la toilette, au contraire, tu es allé boire du champagne.

— J'ai rebu du champagne cette nuit?

— Enfin, oui et non. Quand je me suis aperçue que tu t'étais levé, tu étais près du seau à champagne, tu avais la bouteille à la main.

— Et qu'est-ce que je faisais?

— Je ne sais pas au juste. Au début, j'ai cru que tu voulais boire, mais tu t'es versé du champagne dans la main. Je t'ai demandé ce que tu faisais mais tu ne m'as pas répondu tout de suite. Alors, j'ai pensé que tu voulais voir si le champagne était encore froid et donc buvable. Je te l'ai demandé. Et sais-tu ce que tu m'as répondu?

— J'ai parlé? lui demandai-je, presque terrorisé.

Car je n'avais nul souvenir de ce que j'avais pu lui dire. Je me sentais pour ainsi dire à sa merci. Ne lui avais-je pas dit quelque chose de compromettant? Au sujet de ma vie antérieure? De mes amours? Et ne pouvait-elle pas prétendre que j'avais dit n'importe quoi, sans que je puisse la contredire?

— Oui, finit-elle par dire.

— Et qu'est-ce que j'ai dit?

— Oh ! rien, au fond, tu n'as rien dit... J'étais endormie, je n'ai pas trop saisi ce que tu as voulu dire.

— Mais non, voyons, ne mens pas, ça ne marche pas. Tu ne m'en aurais pas parlé, autrement, et tu n'aurais pas l'air si préoccupée.

— C'est peut-être tout simplement parce que je suis un peu fatiguée, et il y a de quoi, nous avons dormi plus profondément que longtemps.

— Ça ne marche pas, les plaisanteries; dis-moi, qu'est-ce que j'ai dit?

Marie-Laure ne parla pas tout de suite. Elle paraissait très nerveuse. Puis elle tenta, en rigolant d'une manière qui me parut affectée:

— Oublie tout ce que je t'ai dit, c'était une plaisanterie, c'est un rêve que j'ai fait, un cauchemar, je m'en suis rendu compte.

— N'essaie pas, ça ne prend pas.

Pour toute réponse, Marie-Laure s'éloigna vers la fenêtre.

— Qu'est-ce qu'il y a, tu ne parles plus?

— On en parlera une autre fois.

— Non, il n'y aura pas d'autre fois.

— Ah! je vois. Mais où est mon sac à main? continua-t-elle.

— Il est ici.

Elle en tira son paquet de cigarettes et s'alluma une cigarette nerveusement. Puis elle s'éloigna à nouveau vers la fenêtre et elle laissa tomber d'une voix très particulière:

— Tu as beaucoup souffert à cause d'une femme...

— Je... J'ai dit ça cette nuit?

— Non, mais tu as longuement parlé d'elle, d'une femme qui s'appelait Laurence, comme le lapsus que tu as commis hier... C'était ta femme?

— Oui, nous avons été mariés cinq ans.

— Et comment est-elle morte? C'était un accident?

— Elle n'a pas eu d'accident, et elle n'est pas morte ! Est-ce que c'est ça que j'ai dit cette nuit?

— Enfin, je ne sais plus trop, c'était plutôt confus...

— Mais qu'est-ce que j'ai dit au juste?

— Bon, si tu veux, je vais te le dire, mais je vais commencer par le début pour ne pas trop me mêler. Quand je me suis éveillée, cette nuit, tu étais levé, donc, et aussi, oui, ça, j'avais oublié de te le dire, tu t'étais habillé, tu avais ton *tuxedo*. Je n'ai pas compris tout de suite. J'ai pensé que je rêvais et je me suis dit que c'était peut-être déjà le matin. Mais j'ai regardé l'heure. Il était à peine cinq heures. Je t'ai alors demandé ce que tu faisais. Mais tu n'as pas répondu, tu avais l'air très absorbé. Tu allais te sauver au beau milieu de la nuit, comme on quitte une prostituée qu'on ne veut pas payer. C'est ça hein? t'ai-je crié, mais tu ne répondais toujours pas. Je me suis mise à pleurer. Mais tu n'as rien dit, tu continuais à verser du champagne, très très lentement, dans le creux de ta main et tu paraissais excessivement concentré. Alors, je t'ai crié: «Mais Pierre, je suis là, réponds-moi ! Qu'est-ce que tu fais là?» Et sais-tu ce que tu m'as répondu?

— Non.

— Eh bien, tu m'as dit, bien bizarrement: «Tu vois bien que je me lave les mains !» Alors, moi, je n'ai su que penser, je ne savais pas si tu te moquais de moi. Le soir, à la salle à dîner, je t'avais entendu tant de fois être ironique, plaisanter, que j'ai cru que tu cherchais à me mystifier, à t'amuser à mes dépens. Mais j'ai vite compris que je me trompais.

— Comment cela?

— Parce que quelques instants après tu as déposé la bouteille de champagne très très lentement... C'était comme des gestes de...

— Des gestes de quoi?

— Eh bien, je ne sais pas... On aurait dit des gestes de maniaque... Tu comprends, tu avais l'air si concentré, tu gardais la tête toujours penchée, et tes gestes étaient si minutieux... Mais j'ai commencé vraiment à m'inquiéter lorsque tu as saisi le couteau qui servait à beurrer les biscottes et que tu as dit...

— Et que j'ai dit quoi?

— Tu as dit, d'une voix terrible, d'une voix blanche:

«Il faut que quelqu'un meure, il faut que quelqu'un paie pour ce qui est arrivé !»

— Et qu'est-ce que j'ai fait, alors?

— Tu as pris le couteau à deux mains et tu l'as tourné vers toi, et tu as répété, en criant presque: «Il faut que quelqu'un meure !» J'ai cru que tu voulais te tuer et j'ai crié ton nom très fort. Alors là, tu t'es immobilisé complètement. J'ai vu tes sourcils se froncer. On aurait dit que tu m'entendais pour la première fois. Alors, c'est là que tu as dit ce qui m'a fait croire que ta femme était morte.

— Qu'est-ce que j'ai dit?

— Tu as dit: «Laurence, tu es là, tu n'as pas eu d'accident?»

— Et qu'est-ce que tu as dit, toi?

— Je ne savais pas trop quoi dire. Mais j'ai compris alors que tu devais être somnambule. Et j'en ai été certaine lorsque tu as enfin relevé la tête. Tu avais des yeux bien étranges. Le regard fixe et absent. Mais j'ai eu peur, surtout au moment où il m'a semblé que tu m'apercevais pour la première fois. Tu as eu un drôle de mouvement de la bouche. Ce n'était pas un sourire, mais une sorte de grimace. Et puis là, j'ai eu très peur parce que tu as dit encore une fois: «Il faut que quelqu'un meure !» et tu as marché vers moi. J'étais sûre que tu voulais me tuer. Je ne savais pas quoi faire. J'étais littéralement terrorisée. Je n'étais même plus capable de parler et de bouger. Tu as continué à t'avancer vers moi, toujours avec le couteau, puis tu as dit: «Pourquoi m'as-tu quitté? Et l'autre, l'autre, où est-il?» Alors, j'ai réussi à parler, j'ai crié très fort: «Pierre, Pierre, ce n'est pas moi Laurence, je suis Marie-Laure! Réveille-toi!»

— Et puis après?

— Alors, tu t'es immobilisé, tu ne disais plus rien, tu...

— Je quoi?

— Je ne sais plus, c'est confus dans mon esprit, j'étais à moitié endormie.

— Fais un effort ! Est-ce que j'ai dit autre chose? criai-je.

Elle n'eut pas le temps de répondre car on frappa à la porte. Je m'étais tu. La femme de chambre entra sans attendre notre réponse.

— Ce n'est pas parce que j'ai écouté à la porte, mais en arrivant, juste comme j'allais frapper, j'ai entendu que vous vous disputiez... Je ne veux pas avoir l'air de me mêler de ce qui ne me regarde pas, mais je voudrais vous dire, parce que vous formez un si joli couple, que je suis bien contente pour vous que vous ayez déjà commencé à vous disputer. C'est très bon signe, ça. C'est signe que vous êtes faits pour vous entendre. Parce que les compliments, c'est bien beau, c'est bien agréable, mais on ne sait jamais si c'est sincère, tandis que les insultes, ça vient du coeur, et ça, je préfère ça...

— Je vous remercie, Madame, vous êtes bien aimable, dit Marie-Laure.

— Quant à la chambre, dis-je, j'ai décidé de la louer pour une nouvelle journée.

— C'est très bien, alors je vous laisse. Je reviendrai plus tard. Vous allez pouvoir continuer à vous disputer tout de suite, dit-elle avec un grand sourire de contentement.

Et, à l'adresse de Marie-Laure, elle dit encore:

Vous avez bien de la chance, Madame.

Merci, se contenta de dire Marie-Laure.

Puis, comme la femme de chambre sortait, elle ajouta, en se tournant vers moi:

— Elle est amusante, n'est-ce pas?

— Oui, en effet. Mais... Est-ce que je peux te dire quelque chose?

— Mais oui, certainement. D'ailleurs, je ne vois pas pourquoi tu me demandes la permission.

— Moi non plus. En tout cas, c'est idiot à dire, mais tout à l'heure, quand la femme de chambre a dit que nous formions un joli couple, ça m'a fait plaisir.

Je me repris aussitôt, avant que Marie-Laure n'eût le temps de répliquer. Je dis, d'un ton très sec, qui contrastait avec celui, presque attendri, que je venais d'utiliser:

— Excuse-moi, je ne vois pas pourquoi j'ai dit ça, c'est absurde.

— Ce n'est pas absurde, voyons.

— Oui, c'est absurde, puisque c'est faux. Mais je ne tiens pas à discuter de ça, de toute manière. Parle-moi plutôt de cette nuit. Qu'est-ce qui s'est passé après?

— Après, tu t'es brusquement retourné et tu es allé vers la porte-fenêtre, tu l'as ouverte et tu as marché très lentement vers la balustrade. Alors, j'ai eu peur que tu fasses, je ne sais pas, que tu te donnes un coup de couteau. Et je me suis levée et je suis accourue. Quand je suis arrivée près de toi, tu as tendu le couteau vers moi, à nouveau, mais sans agressivité, cette fois-ci. Tu m'as dit: «Tu me dis que tu me l'as déjà expliqué, mais donne-moi la vraie raison, je veux la connaître.» Et puis là, tu m'as remis le couteau. Je ne savais pas trop quoi faire avec, mais j'étais tout de même contente de l'avoir en main. Et puis, très curieusement, tu m'as demandé: «Qu'est-ce que tu attends?» Je n'ai pas compris, évidemment. Tu t'es impatienté et tu m'as répété: «Qu'est-ce que tu attends? Allez je t'en supplie, tu sais quoi faire, je t'en supplie.»

Alors, j'ai jeté le couteau en bas du balcon. Et là, c'était très triste, tu t'es mis à pleurer.

— J'ai pleuré?

— Oui, et tu t'es blotti dans mes bras et tu as dit: «Je savais qu'il y avait l'amour, au moins, hier...» Puis tu t'es redressé brusquement, tu avais complètement cessé de pleurer. Tu m'as demandé l'heure. Ça avait l'air très urgent, très très urgent. Je t'ai dit qu'il était cinq heures. Alors, tu as eu une réflexion curieuse, tu as dit: «Mais c'est impossible, déjà cinq heures, et je n'ai pas bu de champagne.» Alors, tu es allé boire une gorgée de champagne. Puis tu as remis très lentement la bouteille dans le seau à glace et tu m'as dit d'une drôle de voix: «Je ne sais pas ce que tu fais, mais moi je me couche, j'ai beaucoup de travail au bureau demain». Et tu t'es déshabillé tranquillement et tu t'es mis au lit. Moi, de mon côté, je suis allée refermer la porte-fenêtre et je me suis couchée.

— Je te déteste!

Marie-Laure parut d'abord surprise par la brutalité de ma réplique, mais elle me demanda bientôt, d'une voix qui ne trahissait aucun ressentiment:

— Tu l'as aimée tant que ça, cette femme?

— Va-t'en, je ne veux plus te voir !

— Vous êtes séparés depuis longtemps?

— Qu'est-ce que ça peut bien te faire? Qu'est-ce que ça peut bien te faire, le malheur des autres?

— Celui des autres, rien, peut-être, mais le tien m'intéresse.

— Je te déteste. Je te déteste parce que je n'ai pas envie de l'amour que tu m'offres.

— Qui a parlé d'amour?

— Tu n'en as peut-être pas parlé explicitement, mais je n'en ai pas envie, de toute manière. Et je n'ai pas envie du bonheur. C'est indécent d'être heureux aujourd'hui.

— Mais c'est banal de ne pas l'être.

— Je ne suis pas partisan de l'originalité à tout prix. Et je te déteste.

— Je sais, c'est la troisième fois que tu me le dis. Et je sais que tu ne le penses pas et que tu le répètes pour essayer de t'en convaincre. Mais quoi qu'il en soit, je veux te dire ceci, tu le prendras et tu en feras ce que tu voudras. Je ne veux pas te dire que je t'aime, moi, ce serait absurde, parce que nous nous connaissons à peine depuis quelques heures. Ce serait absurde et, même si c'était vrai, ce serait mauvais stratégiquement, parce que vous, les hommes, ça vous fait peur, ces grands mots-là. Avec les sentiments, vous êtes comme des vierges. Mais je tiens à te dire quand même que je trouverais très dommage et très triste que nous nous séparions pour ne plus nous revoir. Nous avons passé ensemble des moments si intenses.

— Peut-être, mais demain, dans un mois, dans un an, nous allons nous déchirer. Tu rencontreras quelqu'un d'autre, ou bien ce sera moi, et nous n'aurons qu'une douleur nouvelle entre nous.

— Des joies aussi, peut-être.

— Je n'y crois pas. L'amour, c'est comme Dieu, c'est une invention de l'homme, ça n'existe pas.

— Puisque tu parles de Dieu, pourquoi ne pas faire entre nous un pari?

— Parie si tu veux, moi je ne veux pas perdre ma mise.

— Tu la perdras de toute manière. Crois-tu vraiment qu'on puisse vivre sans amour?

— Oui.

— Mais tu voulais te suicider. N'est-ce pas une preuve, précisément?

— C'est autre chose, c'est tout à fait autre chose. J'avais des motifs d'un autre ordre, des motifs philosophiques.

— Philosophiques? Eh bien, ça tombe bien, parce que mon pari a justement quelque chose de philosophique. C'est un peu comme le pari de Pascal. Pourquoi ne pas parier que l'amour existe? S'il n'existe pas, nous ne perdrons rien, et s'il existe, nous aurons gagné. Alors, nous ne pouvons rien perdre, de toute manière.

— Oui, il y a une chose que nous pouvons perdre: notre temps.

— Le temps sans amour est perdu de toute manière.

— Mais le passé?

— Pierre, le passé n'a pas d'importance. Le passé, c'est la mort. Il faut penser au présent, à la vie, et à l'avenir.

— Ce serait une trahison.

— Ne parle plus, ne dis plus rien...

Je me tus. Je ne sais pourquoi, mais les larmes me vinrent aux yeux.

— Tu pleures? me demanda Marie-Laure.

— Non, ce n'est rien. Excuse-moi. C'est fini, cette époque. C'est fini. As-tu un crayon?

— Un crayon?

— Oui, et une feuille de papier.

— Oui, attends un instant, mais pour quoi faire?

— Une addition.

— Une addition?

— Oui, des comptes.

Et comme elle m'avait remis un bout de papier et un crayon, je griffonnai quelques chiffres.

— Je calcule ce que j'ai dépensé. Et j'arrive à la

somme très inquiétante de cinq cent quarante dollars, que je divise par deux.

— Tu n'as tout de même pas l'intention de me faire payer la moitié des dépenses?

— Non, mais si nous avions fait l'amour deux fois, ça m'aurait déjà coûté deux cent soixante-dix dollars par fois. C'est du grand luxe.

— Je n'y suis pour rien, je ne savais pas.

— Ce n'est pas grave, je n'ai pas l'intention de payer. Ça me gâcherait tout le plaisir que j'ai eu de dépenser en sachant que je ne recevrais jamais le compte. Il faut trouver un moyen. Attends, j'y pense, c'est simple... Nous avons déjà renouvelé la chambre, ce qui était le premier pas à faire... Maintenant... J'appelle le maître d'hôtel.

Ce que je fis. Il ne tarda pas à arriver.

— Messieurs dames ont bien dormi? s'enquit-il poliment.

— Non, très mal.

— Oh ! je suis désolé...

— Ne soyez pas désolé. Croyez-vous que nous étions venus ici pour dormir?

— Non, Monsieur, évidemment, avec Madame, je comprends.

— Mais pour qui nous prenez-vous? Vous n'avez pas honte? Vous êtes un malpropre, vous. J'ai passé ma nuit à expliquer à Madame le théorème d'Euclide pour qu'elle réussisse ses examens de solfège cet après-midi.

— Ah, je vois, excusez-moi, Monsieur l'ambassadeur.

— C'est sans importance. Je vous ai fait venir pour vous aviser que nous allions prendre notre repas dans notre chambre. Dans une heure exactement. Nous devons sortir pour faire des courses. Je veux que tout soit prêt quand nous reviendrons.

— Bien entendu, Monsieur. Et que désirez-vous?

— Eh bien, quelque chose de léger, de très léger.

— Ah ! dans ce cas, je suggérerais à Monsieur et à Madame la sole de Douvres, qui est une spécialité du chef.

— Non, pas encore. Vous m'apporterez tout simplement deux douzaines d'huîtres, du caviar, une terrine au cognac, un chateaubriand pour deux, un soufflé au fromage et quelques petits amuse-gueule de votre choix pour rehausser le tout.

— Très bien, Monsieur. Attendez, je note tout. Et pour boire?

— Du champagne. Rien que du champagne.

— Très bien. Et quelle marque?

— Le meilleur, bien entendu.

— C'est que c'est selon votre goût, je ne voudrais pas prendre la chance...

— Eh bien, si vous ne voulez pas prendre de chance, faites comme les imbéciles, prenez le plus cher.

— Oui, Monsieur l'ambassadeur, c'est très bien.

— Vous pouvez disposer, maintenant. Mais n'oubliez pas, dans une heure exactement.

— Oui, Monsieur l'ambassadeur. Tout va être fait selon vos désirs.

— Je l'espère bien.

Et, là-dessus, le maître d'hôtel se retira.

— Pourquoi lui as-tu fait monter tout ça? me demanda Marie-Laure dès que la porte se fut refermée.

— Comme ça, ils ne se douteront de rien. Nous pourrons partir en paix. Et puis le maître d'hôtel mangera à notre santé.

— Tu es épouvantable. Mais qu'est-ce que tu écris encore?

— Une note explicative à l'adresse du maître

d'hôtel. Je vais te la lire, si tu veux: «Les Russes ont débarqué en Angleterre, leurs sous-marins remontent la Seine vers Londres. Madame et moi avons été appelés d'urgence pour freiner l'invasion. Il y a eu une fuite très grave. Le menu de l'hôtel, qui était codé, a été communiqué aux dirigeants du parti communiste par l'espion russe d'hier. Pour le repas, mangez-le à notre santé, avec la femme de chambre. Et quant à l'addition totale, envoyez-la à l'ambassade, comme d'habitude.»

— Tu es fou, tu es vraiment fou.

— Attends, je vais ajouter un petit post-scriptum: «Monsieur Honoré de Balzac vient de m'appeler pour qu'on lui réserve une chambre. Il arrive de Miami demain à onze heures. Faites le nécessaire.»

— Et nous, que faisons-nous, maintenant?

— Nous partons, évidemment.

— Mais toi, après?

— Je ne sais pas, je ne sais vraiment pas... J'ai démissionné... Je suis sans emploi... Et je n'ai pas l'intention de reprendre le collier tout de suite... J'ai besoin de repos, de réflexion... Mais toi, qu'est-ce que tu vas faire?

— Eh bien, la troupe dont je fais partie donnait une audition cet après-midi. Si tu veux m'accompagner, tu es le bienvenu... Ce serait amusant, j'y pense tout à coup, parce que, c'est un hasard un peu inouï, mais tu ressembles à s'y méprendre au comédien qui nous a lâchés...

— La ressemblance ne saurait être que physique. Je n'ai jamais fait de théâtre. Et je n'ai aucun talent...

— Tu n'étais pas trop mal, pourtant, en ambassadeur...

— Tu as trouvé?

— Oui, j'ai trouvé, surtout que ce devait être improvisé.

— Non, je répétais depuis des mois.

— Tu tournais en rond. Moi aussi, j'ai connu ça. En tout cas, j'espère que la troupe va trouver que j'ai encore assez de talent pour reprendre mon rôle. Ils ont probablement lu les journaux et ils me cherchent une remplaçante. Je vais poser ma candidature.

— Ça va être un excellent coup de théâtre.

— Oui, je crois. Mais après, nous deux?

— Nous deux? dis-je avec brusquerie, presque avec brutalité. Mais ça n'existe pas, nous deux, ça n'a jamais existé, sauf dans l'esprit des gens... Et toi, tu ne représentes rien pour moi.

— Tu es très aimable, Pierre, mais ce n'est pas nouveau. Tu répètes, tu répètes depuis des mois le même rôle, comme tu me l'as dit... Tu devrais changer, ça te ferait du bien. Tu devrais refaire ta vie avec une autre femme. Et quand je dis ça, il faut que ce soit bien clair dans ton esprit, je ne pense pas du tout à moi, je suis patiente, mais je ne suis pas masochiste.

— On ne refait sa vie que lorsqu'on ne l'a jamais faite.

— Mais non. Qu'est-ce que c'est que ces idées préconçues? La vie, c'est comme la vaisselle, il faut toujours la refaire. Mais, de toute manière, je ne suis pas ici pour te convaincre. Et je ne vois pas pourquoi je continuerais à subir tes petites sautes d'humeur. Tu n'étais pas trop désagréable de nuit, sans doute parce que tu avais bu, mais de jour, à jeun, tu es imbuvable. Reste bien enfermé dans ton passé, moi je vais vivre dans le présent, comme ça on ne risque pas de se rencontrer. Salut.

Elle se dirigea vers la porte.

— Marie-Laure... Attends...

Elle s'arrêta, se retourna.

— Oui, qu'y a-t-il? demanda-t-elle.

— Eh bien, je…

— Tu hésites, comme d'habitude. Je n'ai pas le temps. Salut.

—Si ton invitation tient toujours, je vais y aller, à cette audition…

— Viens, se contenta-t-elle de dire, nous allons être en retard.

Et c'est ainsi que je suivis cette jeune comédienne de vingt-cinq ans, Marie-Laure Laforêt, que j'avais rencontrée la veille au Ritz-Carlton, avec qui j'avais passé la nuit et qui, tout comme moi, avait failli se suicider. Était-ce ses yeux comme des noisettes de ciel, son sourire aérien ou les entrelacs de son abondante chevelure que je suivais? Ou mon destin? Parce que j'avais senti qu'était venu le temps de tourner la page et que, grâce à elle, une vie nouvelle s'ouvrirait enfin devant moi? Je ne saurais dire. Je sais seulement que je l'accompagnai à cette audition et que, curieusement, malgré la saison et notre nuit presque blanche, j'avais l'impression, à ses côtés, de marcher vers les prairies d'or du mois de mai.

Mais vous, dites-moi, qu'auriez-vous fait à ma place?

Note

Ce roman, dont l'idée prit naissance en mon esprit il y a quatre mois — et il y a quatre ans —, a été terminé dans sa composition, ses principaux remaniements et sa dictée le mercredi 30 avril 1980 à quatre heures dix précises. Pour l'occasion, me trouvant seul et n'ayant par conséquent personne sous la main pour me faire féliciter, je me suis permis de m'applaudir assez bruyamment. C'est que j'étais soulagé et que, surtout, l'itinéraire véritable d'un roman n'étant qu'une histoire que l'auteur se raconte à lui-même, j'avais compris que j'allais vraisemblablement tomber en amour avec le modèle de Marie-Laure Laforêt, cette femme que j'avais si longtemps cru improbable.

Montréal, le 20 avril 1980.
L'Auteur

LE MIROIR DE LA FOLIE
par Marc-André Poissant

Une jeune femme dans l'univers de la folie,
internée, aux prises avec les psychiatres et
leurs traitements, persécutée par les
malades. Cette femme est-elle vraiment
folle?

ROMAN/SUSPENSE   **$5.95**

EDITIONS

MARC-ANDRÉ POISSANT

JOURNAL
DE
NUIT

ROMAN

JOURNAL DE NUIT
par Marc-André Poissant

Philippe avait trente ans et, sans doute parce qu'il
n'avait pas rencontré une femme qui lui plaisait vraiment, ou parce qu'il en avait trop rencontré, était
demeuré célibataire. On aurait dit qu'il avait juré
d'aimer les femmes, rien que les femmes, toutes les
femmes. Et c'était un homme de parole. C'était aussi
un homme aux principes très stricts: levé dès la
tombée de la nuit, il se couchait dès le lever du jour.
Aussi pouvait-il se consacrer à sa passion avec tout
le sérieux nécessaire et se livrer, dans tous les bars
de Montréal, à d'interminables vols de nuit. Il faut
dire que son "métier" lui facilitait les choses car il
était chômeur par vocation.

ROMAN   **$6.95**

Québecor

LE CAMP DES FEMMES
Christian Bernadac

De 1939 à 1945, cent dix-sept mille femmes de vingt-trois nationalités ont été rassemblées dans le camp de concentration de RAVENSBRUCK conçu pour abriter dix mille détenues. Cent dix-sept mille femmes qui connaîtront l'abrutissement de l'humiliation permanente, de l'entassement, de la faim, du froid, de la torture physique, des épidémies, du travail forcé, du désespoir. Cent dix-sept mille femmes, mortes en sursis, hantées par les sélections pour la chambre à gaz ou le convoi noir réservé aux "convalescentes". Sur ces cent dix-sept mille déportées, quatre-vingt-quatorze mille disparaîtront dans les fourneaux des crématoires ou les fosses communes des Kommandos.

RAVENSBRUCK est unique. Seul camp exclusivement réservé aux femmes il ne peut être comparé à aucun autre "univers concentrationnaire", même pas à ce secteur isolé d'Auschwitz que Christian BERNADAC a présenté dans LES MANNEQUINS NUS. Ravensbruck, LE CAMP DES FEMMES, un enclos en marge. Travail et extermination. Immense réservoir où viennent puiser les "marchands d'esclaves" de l'industrie allemande ou les médecins en mal de cobayes.

$6.95

Québecor

Achevé d'imprimer
en août mil neuf cent quatre-vingt
sur les presses de l'Imprimerie Gagné Ltée
Louiseville - Montréal.
Imprimé au Canada